Diogenes Taschenbuch

JULES VERNE
FACE AU DRAPEAU

Jules Verne

Die Erfindung des Verderbens

Übersetzt von Karl Wittlinger
Mit zweiundvierzig Illustrationen von L. Benett

Diogenes

Der Titel des Originals lautet
›Face au Drapeau‹ (J. Hetzel, Paris 1896)
Die Illustrationen sind der französischen
Erstausgabe entnommen
Die Erstausgabe dieser Neuübersetzung
erschien 1968 im Diogenes Verlag

Veröffentlicht als Diogenes Taschenbuch, 1977

60/80/29/2
ISBN 3 257 20406 x

INHALT

ERSTES KAPITEL

HEALTHFUL HOUSE

In den neunziger Jahren – an einem fünfzehnten Juni – wurde dem Direktor des Sanatoriums *Healthful House* eine Karte überreicht, auf der schlicht und korrekt, ohne Wappen und Krone, der Name stand:

GRAF D'ARTIGAS.

Unterm Namen, am Rand der Karte, war mit Bleistift die Adresse beigefügt:

»An Bord der Goélette *Ebba* – vor Anker im Pamplicosund, New Berne.«

Die Hauptstadt von Nordkarolina, einem der bislang vierundvierzig Staaten der Union, ist die nicht unbedeutende Stadt Raleigh, die etwa hundertfünfzig Meilen landeinwärts liegt. Daß sie Regierungssitz wurde, verdankt sie ausschließlich ihrer günstigen zentralen Lage, denn eine ganze Reihe anderer Städte kommen ihr an industrieller und handelspolitischer Bedeutung gleich – oder übertreffen sie: zum Beispiel Wilmington, Charlotte, Fayetteville, Edenton, Washington, Salisbury, Tarboro, Halifax.

Auch New Berne gehört in diese Reihe. Es liegt am Unterlauf des Neuze River, kurz vor dessen breiter Einmündung in den Pamplicosund, einen

Salzwassersee, welcher durch natürliche Dämme von Inseln und Landzungen der karolinischen Küste geschützt wird.

Für den Direktor von *Healthful House* war es nicht schwer zu erraten, wozu ihm die Karte übergeben wurde. Denn ihr lag ein kurzes Schreiben bei: Der Graf wünsche, der Anstalt seinen Besuch abzustatten. Er hoffe, der Direktor werde ihm seine Bitte nicht abschlagen – und wolle am Nachmittag in Begleitung von Kapitän Spade, Kommodore der Goélette *Ebba*, eintreffen.

Der Wunsch, dieses berühmte Sanatorium zu besichtigen, in dem nur wohlhabende Kranke aus allen Teilen der Vereinigten Staaten Aufnahme fanden, war für jeden Fremden beinahe selbstverständlich. Andere – mit weniger klingendem Namen als Graf d'Artigas – hatten es schon besucht und nicht versäumt, dem Direktor von *Healthful House* ihre Anerkennung auszusprechen. So beeilte er sich, die erbetene Genehmigung zu erteilen – und antwortete, daß es ihm eine besondere Ehre sei, dem Grafen d'Artigas die Pforten seines Sanatoriums öffnen zu dürfen.

Healthful House, betreut von ausgewähltem Personal und in stetem Kontakt mit den Kapazitäten des Landes, war eine private Stiftung. Unabhängiger als öffentliche Hospitäler, stand es doch unter staatlicher Oberaufsicht und Protektion und konnte so jeden erdenklichen Komfort mit allen verfügbaren medizinischen Möglichkeiten ver-

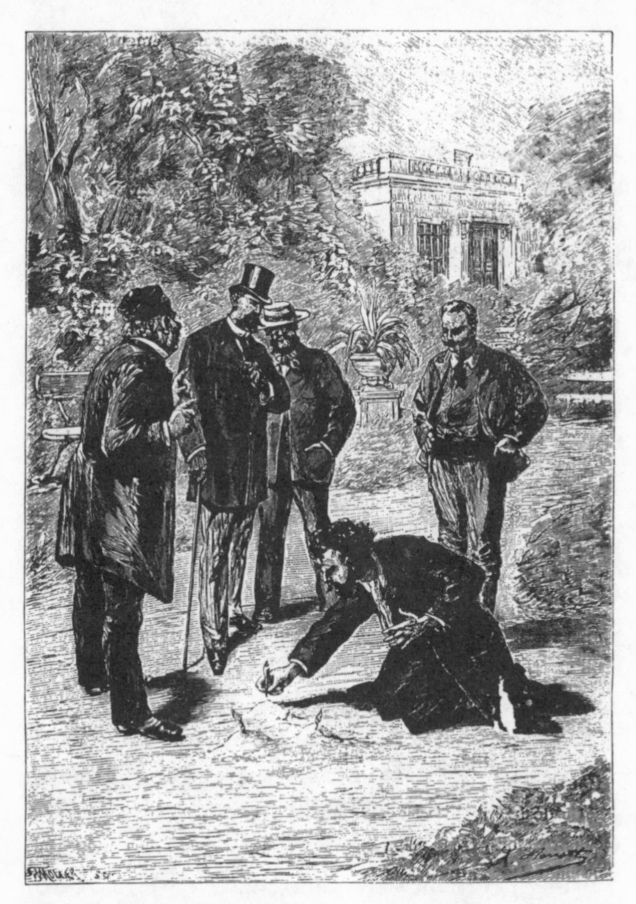

einen, die ein solches für reiche und verwöhnte Patienten bestimmtes Haus erfordert.

Man hätte *Healthful House* auch keine schönere und bessere Lage wünschen können. Im Windschatten eines Hügels dehnte sich der Park über achtzig Hektar, bewachsen von all den prächtigen

Pflanzen, die Nordamerika in den Gebieten hervorbringt, welche auf dem Breitengrad Madeiras oder der Kanarischen Inseln liegen. Am unteren Ende des Parks öffnete sich der lange Mündungsschlauch der Neuze – und es wehte fortwährend ein frischer Wind vom Fluß herauf – oder eine leichte Brise von der offenen See her.

Healthful House, in dem die wohlhabenden Patienten also unter optimalen Pflegebedingungen versorgt wurden, war vorwiegend zur Heilung chronischer Leiden bestimmt. Aber die Anstalt nahm auch Geistesgestörte auf, soweit deren Zustand noch Aussicht auf Besserung versprach.

Gerade um diese Zeit – das lenkte die öffentliche Aufmerksamkeit in besonderem Maße auf *Healthful House* und mochte auch das Interesse des Grafen d'Artigas geweckt haben – befand sich hier zur besonderen Beobachtung und Pflege eine weitberühmte Persönlichkeit.

Es handelte sich um einen Franzosen mit Namen Thomas Roch. Der Mann war fünfundvierzig Jahre alt und vor achtzehn Monaten eingeliefert worden. Daß er von einer schweren psychischen Störung befallen war, stand außer Zweifel. Doch konnten die Psychiater an ihm bisher noch keineswegs den unwiderruflichen Verlust seiner intellektuellen Fähigkeiten feststellen.

Roch lebte in einem seltsamen Zustand: Die einfachsten Selbstverständlichkeiten und kleinen Verrichtungen des Alltags kümmerten ihn nicht – er nahm keine Notiz von ihnen. Sobald jedoch die Rede auf Thomas Roch, das Genie und den Erfinder kam, wurde sein Geist hellwach und unanfechtbar: Wer kennt nicht die enge Verwandtschaft von Genie und Wahnsinn?!

Tatsächlich war seine Wahrnehmungs- und Reaktionsfähigkeit zutiefst zerrüttet. Wo sie sich äußern sollte, blieb sie lückenhaft und phantastisch verschwommen. Sein Erinnerungsvermögen war ebenso zerstört wie seine Konzentrationsfähigkeit, sein Bewußtsein und seine Urteilskraft.

Dieser Thomas Roch war also nur ein der Vernunft beraubtes Wesen, völlig unselbständig – da er jenen natürlichen Instinkt verloren hatte, der sogar das Tier vor Gefahr und Vernichtung schützt – nämlich den Selbsterhaltungstrieb. Man mußte ihn hegen und ständig beobachten wie ein Kind – man durfte ihn nicht aus den Augen lassen.

So bewohnte er den Pavillon Nr. 17 am Ende des Parks von *Healthful House* – gemeinsam mit seinem Pfleger, der die schwere Aufgabe hatte, ihn Tag und Nacht zu überwachen.

Gewöhnliches Irresein, soweit es sich nicht als unheilbar erweist, kann nur durch psychischen Einfluß behandelt werden. Medikamente und physische Therapie sind unwirksam, und ihre Nutzlosigkeit ist unter Fachleuten seit langem unbestritten. Indes – war Psychotherapie auf den Fall Thomas Roch anwendbar? Man zweifelte am Erfolg – sogar in der stillen und reinen Atmosphäre von *Healthful House*. Denn all die bedauerlichen Symptome – Unstetigkeit, Launenhaftigkeit, Reizbarkeit, Verstocktheit, Depressionen, Apathie, völliges Desinteresse an Arbeit oder Vergnügen – all das war und blieb evident. Kein Arzt konnte sich darüber hinwegtäuschen, keine Behandlungsmethode versprach den Zustand zu bessern oder zu mildern.

Man vermutet ganz richtig, daß geistige Störungen einen subjektiven Exzeß darstellen – das heißt, der Geist öffnet sich nur noch nach innen und schaltet alle Einflüsse der Umwelt aus. Bei Thomas Roch war dieses Stadium nahezu erreicht. Er lebte nur noch in sich selbst, als Beute einer fixen Idee, die ihn so in Besitz genommen hatte, daß er schließlich hier eingeliefert werden mußte. Ob es irgendwann zu einer rückläufigen Entwicklung kommen würde – oder zu einem Gegenschock, der ihn – um ein halbwegs passendes Wort zu gebrauchen – »wiederaufzuschließen« imstande wäre – das schien zwar unwahrscheinlich, aber nicht unmöglich.

Hier sollte erwähnt werden, unter welchen Umständen dieser Franzose Frankreich verlassen hatte, was ihn in die Vereinigten Staaten lockte, schließlich warum die Bundesregierung es für ratsam – sogar unumgänglich – hielt, ihn diesem Sanatorium zuzuweisen, wo man mit peinlichster Sorgfalt jede Silbe registrieren konnte, die ihm während seiner Anfälle unbewußt und unbeabsichtigt entschlüpfte.

Vor achtzehn Monaten wurde dem Marineminister in Washington ein Gesuch übergeben: Besagter Thomas Roch bat um Audienz. Er habe dem Minister eine wichtige Mitteilung zu machen.

Der Minister las den Namen und wußte, worum es ging. Und obwohl ihm auch nicht unbekannt war, von welchen Forderungen das Angebot begleitet sein würde, zögerte er keinen Augenblick, die Audienz zu bewilligen.

Der Ruf des Thomas Roch war nämlich zu jener Zeit schon so weit verbreitet, daß ein verantwortungsbewußter Fachminister gar nicht umhin konnte, im Interesse seines Ressorts die Vorschläge anzuhören, die ihm dieser Mann persönlich machen wollte.

Thomas Roch war ein Erfinder – ein genialer Erfinder. Wichtige Entdeckungen hatten ihn schon lange ins glänzende Licht der wissenschaftlichen Öffentlichkeit gerückt. Ihm war es zu verdanken, daß eine Menge vordem nur in der Theorie bekannter Probleme praktische Nutzanwendung gefunden hatte. Sein Name war ein Begriff geworden, er zählte zu den bedeutendsten wissenschaftlichen Kapazitäten.

Wir werden nun sehen, mit welchem Ärger, mit welchen Kränkungen, Beleidigungen, Schimpf und Schande – von offizieller Seite bis hinunter zur Presse – er überschüttet wurde, bis es schließlich so weit kam, daß sein Geisteszustand die Unterbringung in *Healthful House* notwendig machte.

Seine letzte Erfindung war die einer neuen Waffe, und sie trug die Bezeichnung *Fulgurator Roch*. Es handelte sich um ein Geschoß, welches – wenn man den Angaben Glauben schenken durfte

– den bisher bekannten und gebräuchlichen Offensivwaffen derart überlegen war, daß es den Staat, der dieses Vernichtungsmittel besaß, zum uneingeschränkten Herrscher über Kontinente und Meere machen würde.

Man weiß, wie schwer es für Erfinder wird, sobald sie ihre Entdeckungen zu realisieren versuchen – vor allem, wenn sie auf behördliche Genehmigungen und Protektion angewiesen sind. Dafür gab es zu allen Zeiten zahlreiche und berühmte Beispiele – es wäre unnütz, näher darauf einzugehen, zumal sich vieles davon vor dem Hintergrund recht komplizierter Zusammenhänge abspielt.

Im Fall Thomas Roch muß man gerechterweise eingestehen, daß er – wie die meisten seiner Kollegen und Vorgänger – zunächst einmal ungeheure Forderungen stellte. Er verlangte für seine neue Waffe einen so unerschwinglichen Preis, daß es nahezu indiskutabel war, mit ihm zu verhandeln.

Hier muß etwas eingeflochten werden: Er war überzeugt, daß man ihn mit seinen bisherigen Erfindungen, die inzwischen ausgereift und nutzbar gemacht waren, immer nur maßlos übers Ohr gehauen und ausgebeutet hatte. Nachträgliche Forderungen auf Gewinnbeteiligung konnte er natürlich nicht stellen, und das verbitterte ihn. Und aus diesem Mißtrauen – aus dieser Angst heraus, noch einmal so schamlos übervorteilt zu werden, ließ er sich weder auf mündliche Versprechen noch auf

schriftliche Abmachungen ein, sondern bestand unnachgiebig auf so ungeheuren und allen Gepflogenheiten widersprechenden Summen an Vorauszahlung, daß ein Vertrag gar nicht zustande kommen konnte.

Als Franzose bot er seinen Fulgurator zunächst dem französischen Staat an. Er informierte das Kriegsministerium über Art und Wirkung der Waffe. Es handelte sich um einen Flugkörper, der sich selbständig weiter antrieb – mit Hilfe eines speziell entwickelten Treibsatzes und einer – ebenfalls von Roch erstmalig entwickelten – Dauerzündung.

Diese Rakete konnte auf die verschiedenste Weise abgefeuert werden und brauchte das anvisierte Ziel überhaupt nicht zu treffen, sondern konnte mit dem gleichen Effekt einige hundert Meter davon entfernt einschlagen. Denn die Druckwelle des neuen Explosivkörpers war so enorm, daß im Umkreis von zehn Kilometern jede Befestigungsanlage ebenso vernichtet wurde wie jedes Kriegsschiff. Die Wirkung beruhte auf dem gleichen Prinzip wie die der damals längst erprobten Luftsprengkanone Zalinski – nur eben mit mehr als hundertfacher Zerstörungskraft.

Wenn diese Erfindung des Thomas Roch eine solche Macht besaß, so sicherte sie seinem Land eine absolute offensive und defensive Vorherrschaft. Aber wäre es nicht denkbar, daß der Mann, welcher zwar die Brauchbarkeit seiner bisherigen ähnlichen Arbeiten jedesmal unter Beweis gestellt hatte, in diesem Fall vielleicht doch irrte – oder übertrieb? Nur Experimente konnten definitiven Aufschluß geben. Aber Roch wies jeden Gedanken in dieser Richtung weit von sich: Erst wollte er die

Millionen in Händen haben, auf die er den Wert seines Fulgurators einschätzte.

Es scheint sicher, daß schon zu jener Zeit das Denkvermögen des Erfinders aus dem Gleichgewicht kam. Er war nicht mehr im vollen Besitz der Fähigkeit, seine Situation zu beurteilen. Man mußte den Eindruck gewinnen, daß er sich auf einem Geleise befand, das irgendwo im Wahnsinn enden mußte. Die Bedingungen, die er stellte, schraubten sich allmählich derart in die Höhe, daß keine Regierung mehr hätte nachgeben können.

Das französische Kriegsministerium brach alle Verhandlungen ab, und die Presse – selbst die der radikalen Opposition – mußte einsehen, daß es sich nicht mehr lohnte, die Angelegenheit weiter zu verfolgen. Thomas Rochs Forderungen wurden abgelehnt – im übrigen schien niemand zu befürchten, daß sich irgendein anderer Staat dieses Projektes annehmen würde.

Kein Wunder, daß mit der Verdüsterung, die sich immer tiefer im schwerkranken Gehirn des Thomas Roch einnistete, auch die Saite des Patriotismus allmählich lockerer wurde und schließlich zu vibrieren aufhörte – wobei man zur Ehre der menschlichen Natur wiederholen muß, daß Thomas Roch in jener Zeit schon von Bewußtseinsstörungen heimgesucht wurde. Logisch dachte er nur noch in den Kategorien seiner Erfindung: Darin hatte er nichts von seinem Genie eingebüßt. In allem jedoch, was sich auf die einfachsten Selbstverständlichkeiten des Alltags bezog, schrumpfte sein Interesse von Tag zu Tag, und bald fühlte er sich jeder Verantwortlichkeit über sein Tun und Lassen enthoben.

Thomas Roch wurde nun überall schroff abgewiesen. Vielleicht hätte man ihn noch hindern können, es mit seiner Erfindung im Ausland zu versuchen. Man hielt es nicht der Mühe wert – und das war ein Fehler.

Es kam, wie es kommen mußte: Unter einer wild wuchernden Verwirrung erstarben in dem enttäuschten Erfinder alle Gefühle der Verpflichtung seiner Nation gegenüber – Gefühle, die ja jedem Bürger zu eigen sind: erst seinem Vaterland und dann sich selbst zu gehören.

Thomas Roch dachte an Möglichkeiten außerhalb Frankreichs. Er wechselte die Fronten. Er vergaß Pflicht und Tradition. Er bot den Fulgurator dem Deutschen Reich an.

Die deutsche Regierung wußte jedoch längst um die unverschämten Bedingungen, die mit dem Angebot verknüpft waren – und lehnte Verhandlungen ab; zumal im Krieg ein anderes neuartiges ballistisches Geschoß entwickelt worden war, so daß man auf das des französischen Erfinders nicht angewiesen zu sein glaubte.

Die Folge dieses Fehlschlages war erschreckend: Rochs Verbitterung schlug in Haß um – Haß gegen die ganze Menschheit. Und dieser steigerte sich, nachdem auch Kontakte mit der britischen Admiralität im Sand verlaufen waren.

Nun sind die Engländer ja praktische Leute – und deshalb hatten sie Thomas Roch zunächst keineswegs abgewiesen, sondern versucht, ihn auszuhorchen und schließlich zu überlisten. Doch merkten auch sie bald, daß sie tauben Ohren predigten. Thomas Roch verlangte die Millionen, die sein Objekt wert war; vorher ließ er sich nicht in die Karten schauen. Die Admiralität brach die Verhandlungen ab.

In dieser Situation – und unter dem Einfluß seines sich täglich verschlimmernden Gemütszustandes – unternahm er einen letzten Versuch: Er setzte über nach Amerika – und das war ungefähr achtzehn Monate, bevor unsere Geschichte beginnt.

Die Amerikaner, noch realistischer als die Engländer, versuchten erst gar nicht den Fulgurator Roch zu erwerben, dessen ungeheure Bedeutung sie keineswegs abstritten, denn die Glaubwürdigkeit des französischen Chemikers stand auch für sie außer Zweifel. Sie hatten guten Grund, Roch für einen genialen Mann zu halten. Deshalb ergriffen sie die Maßnahmen, die ihrem Staat zur Verfügung standen – und behielten sich damit vor, den Erfinder hinterher nach Gutdünken zu entschädigen.

Mit anderen Worten: Da Thomas Roch ganz offensichtliche Symptome geistiger Verwirrung zeigte, hielt es die Obrigkeit für angemessen, ihn – nicht zuletzt im Interesse seiner eigenen Erfindung – einzusperren.

Wir wissen, daß man ihn durchaus nicht in irgendeinem obskuren Irrenhaus verschwinden ließ: Er kam ins Sanatorium *Healthful House*, wo ihm alle erdenkliche Pflege zuteil wurde. Obwohl man jedoch kein Mittel unversucht ließ, seinen Zustand zu bessern, konnte von einem Erfolg bisher nicht die Rede sein.

Noch einmal – denn dieser Punkt ist so außerordentlich wichtig: Thomas Roch, in seinen alltäglichen Verrichtungen ein schwer Geisteskranker, wurde hellwach, sobald man ihn auf das Feld seiner Entdeckungen zurückführte. Da lebte er auf, redete mit der Sicherheit eines selbstbewußten Mannes – und in bestechend klaren Formulierungen. Mit dem ganzen Feuer seiner angeborenen Beredsamkeit beschrieb er die wunderbaren Eigenschaften seines Fulgurators, die ungeheuren Wirkungen, die seine Waffe versprach. Doch über technische Details – die Art des Treibstoffes, ihre chemische Formel, ihre Herstellung, ihre Einsatzmöglichkeiten – über all das hüllte er sich in ein Schweigen, das niemand zu durchdringen vermochte.

Ein- oder zweimal – auf dem Höhepunkt eines Anfalls – glaubte man, sein Geheimnis würde ihm entschlüpfen – aber vergeblich. Wenn Thomas Roch schon nicht mehr Herr seiner selbst war, so blieb er doch der undurchdringliche Hüter seiner Entdeckung.

Der Pavillon Nr. 17 von *Healthful House* lag in einem Garten, umgeben von wuchernden Hekken. In diesem Garten konnte sich Thomas Roch – überwacht von seinem Pfleger – frei bewegen.

Dieser Pfleger wohnte im gleichen Pavillon, schlief mit Roch im gleichen Zimmer, beobachtete ihn Tag und Nacht, ließ ihn keine Minute allein. Er belauschte und notierte jedes seiner Worte, vor allem, solange die Anfälle dauerten, welche gewöhnlich im Stadium zwischen Müdigkeit und Einschlafen ausbrachen – und sich bis in seine Träume hinzogen.

Der Pfleger nannte sich Gaydon. Kurz nach der Einlieferung von Thomas Roch hatte er erfahren, daß eine Hilfskraft gesucht wurde, die genügend Französisch sprach, um den Erfinder zu verstehen und zu überwachen. Er hatte sich in *Healthful House* in dieser Eigenschaft vorgestellt und war als Pfleger des neuen Patienten angestellt worden.

In Wirklichkeit war der angebliche Gaydon ein französischer Ingenieur mit Namen Simon Hart und seit einigen Jahren im Dienst einer Gesellschaft für chemische Erzeugnisse, die in New Jersey ihre Fabriken hatte.

Simon Hart, vierzig Jahre alt, hatte die breite, offene Stirn mit der typischen Längsfalte des intensiven Beobachters und das entschlossene Auftreten, das die Verbindung von Energie und Beharrlichkeit anzeigt. Außerordentlich bewandert in den verschiedensten Fragen, die durch die Perfektionierung der modernen Waffensysteme aufgeworfen wurden, kannte sich Simon Hart in allem aus, was mit neuartigen Explosivstoffen zu tun hatte – und davon zählte man in jenen Jahren etwa elfhundert.

Er mußte die Bedeutung eines Mannes wie Thomas Roch nicht erst schätzen lernen. Er glaubte an die Wirkungskraft des Fulgurators und wußte, daß diese Überwaffe – offensiv oder defensiv angewendet, zu Wasser oder zu Land – jeden Krieg zugunsten dessen entscheiden würde, der sie besaß.

Er wußte aber auch das Entscheidende: daß der geistige Zerfall den Forscher und Experten verschont hatte; daß in dem nur teilweise zerstörten Gehirn immer noch eine Flamme loderte, die Flamme des Genies.

Und so dachte er: Wenn es wirklich dahin kommen sollte, daß Thomas Roch – vielleicht im Verlauf eines Anfalls – sein Geheimnis verriet, würde ein anderes Land aus der Entdeckung eines Franzosen unermeßlichen Nutzen ziehen.

Und damit stand sein Entschluß fest, sich Thomas Roch als Pfleger zur Verfügung zu stellen – ein Amerikaner mit ausgezeichneten französischen Sprachkenntnissen. Unterm Vorwand einer dringenden Reise nach Europa bat er um seine Entlassung, wechselte den Namen und bewarb sich um die Stelle. Er hatte Glück, wurde angenommen –

und so kam es, daß Simon Hart seit fünfzehn Monaten in *Healthful House* seinen Pflichten als Wächter und Pfleger Thomas Rochs nachging.

Dieser Entschluß zeugte von seltener Opferwilligkeit und hohem Patriotismus, wurden doch von

Simon Hart Dienste verlangt, die keineswegs seiner Herkunft und seinem Bildungsstand entsprachen. Aber – man vergesse das nicht – der Ingenieur dachte keinen Augenblick daran, Thomas Roch zu bestehlen – im Gegenteil: Sollte der Kranke sein Geheimnis wirklich einmal ausplaudern, so würde er alles daransetzen, ihm seine Erfindung als rechtmäßiges Eigentum zu erhalten.

So lebte also Simon Hart – oder richtiger Gaydon – seit fünfzehn Monaten mit dem Geisteskranken zusammen, beobachtete ihn, belauschte ihn, stellte ihm sogar Fragen – ohne irgend etwas zu erreichen. Dabei war er mehr denn je von Thomas Rochs Erfindung überzeugt. Was er am meisten fürchtete, war die Möglichkeit, daß der Wahnsinn seines Pfleglings zu einem die gesamte Hirntätigkeit lähmenden Stupor ausarten – oder daß ein vernichtender Anfall den Erfinder samt seiner Erfindung auslöschen könne.

Das war also Simon Harts Situation – das war die Aufgabe, für die er sich im Interesse seines Landes opferte.

Glücklicherweise war – trotz aller Enttäuschungen und Rückschläge – die physische Kraft Thomas Rochs ungebrochen; er verdankte das einzig seiner besonders robusten Konstitution. Eine ungezügelte Vitalität machte seinen Körper immun gegen alle psychischen Angriffe. Von mittlerer Größe, aber mit mächtigem Kopf und breiter, freier Stirn, gewaltigem Schädel, angegrautem Haar – den Blick manchmal unstet, aber lebhaft, fest – gebieterisch, sobald seine Gedanken einen Blitz aufleuchten ließen, ein dichter Schnurrbart unter den vibrierenden Nasenflügeln, dünn verschlossene Lippen, als wollten sie niemals ein Geheimnis preisgeben, das Gesicht nachdenklich, die Haltung die eines Menschen, der lange gekämpft hat und entschlossen ist, weiter zu kämpfen – das war der Erfinder Thomas Roch, der in einem der Pavillons von *Healthful House* sicher verwahrt wurde und sich seiner Gefangenschaft vielleicht gar nicht bewußt war.

Und der Ingenieur Simon Hart, der sich selbst zum Pfleger degradiert hatte, betreute ihn.

ZWEITES KAPITEL

GRAF D'ARTIGAS

Wer war nun dieser Graf d'Artigas? Spanier? – sein Name schien darauf hinzudeuten. Andrerseits stand am Heck seiner Goélette in Goldschrift *Ebba* – ein Name zweifellos norwegischen Ursprungs. Und wenn man ihn nach seiner Mannschaft gefragt hätte, wäre man auch nicht klüger geworden: Der Kapitän hieß Spade, der erste Steuermann Effrondat, der Chefkoch Hélim – lauter ganz verschiedenartige Namen, die von allen möglichen Sprachen herkommen.

Oder konnte man aus dem Typ, den der Graf d'Artigas verkörperte, irgendwelche Mutmaßungen über seine Herkunft anstellen? Auch das wäre zu gewagt. Zwar ließen seine Hautfarbe, sein pechschwarzes Haar und sein lebhaft-aristokratisches Benehmen auf spanische Abstammung schließen; andrerseits fehlten im Gesamteindruck nahezu alle Merkmale, die den Menschen der Iberischen Halbinsel auszeichnen.

Er war ein Mann, dessen Größe das Mittelmaß überschritt, von sehr kräftigem Körperbau – und wohl etwas über fünfundvierzig Jahre alt. In seinem gelassenen und souveränen Auftreten hatte er etwas von einem Hindufürsten, in dessen Adern sich das Blut Indiens mit dem des Malaiischen Archipels gemischt hatte. Von Natur lebhaft – vielleicht sogar cholerisch, hatte er sich stets völlig in der Gewalt, bewegte sich gemessen und redete wenig. Das Idiom, dessen er sich im Umgang mit seiner Besatzung bediente, war einer jener eigentümlichen indischen Dialekte, die auf den Inseln im Stillen Ozean vorherrschen. Da ihn seine weltweiten Exkursionen kreuz und quer durch die Meere der Alten wie der Neuen Welt führten, drückte er sich aber auch mit bemerkenswerter Leichtigkeit in englischer Sprache aus und verriet nur durch einen leichten Akzent seine ferne, unbekannte Herkunft.

Über die Vergangenheit des Grafen d'Artigas, über die wahrscheinlich sehr verschlungenen Wege, die dieser rätselhafte Mann bisher gegangen war, über seine künftigen Pläne, über die Quelle seines Vermögens – das beträchtlich sein mußte, denn es gestattete ihm das Leben eines großzügigen Gentleman –, über seinen festen Wohnsitz – oder zumindest den Heimathafen seiner Goélette –, über all das wußte man nichts. Und kein Mensch hätte gewagt, ihn darüber zu befragen, denn der Graf zeigte sich – besonders solchem Interesse gegenüber – völlig unzugänglich. Er war auch nicht gewillt, sich zu Interviews herabzulassen – nicht einmal amerikanischen Reportern gegenüber.

Man wußte von ihm nicht mehr als das wenige, was man den Zeitungen entnehmen konnte, die das Einlaufen der *Ebba* in irgendeinen Hafen – meist an der Ostküste der Vereinigten Staaten – notierten. Hier ging die Goélette mit einer gewissen Regelmäßigkeit vor Anker, um sich mit allem zu versorgen, was an Proviant für die nächste lange Reise notwendig war.

Man ergänzte nicht nur ihre Vorräte an Mehl, Zwieback, Trockenfleisch und Konserven, lebenden Ochsen und Hammeln, Wein, Bier und Brandy, sondern kaufte auch neue Kleidung, Ausrüstung – alle möglichen Luxusartikel und Gebrauchsgegenstände –, und der Graf bezahlte anstandslos jeden Preis, in Dollars, Guineen oder mit Münzen der verschiedensten Währungen.

So kam es, daß man zwar vom Privatleben des Grafen d'Artigas nichts wußte, ihn selber jedoch überall kannte – zumindest in allen Häfen – von der Halbinsel Florida im Süden bis hinauf zur Küste Neu-Englands.

Kein Wunder also, wenn sich der Direktor von *Healthful House* durch das Ersuchen des Grafen d'Artigas außerordentlich geehrt fühlte und diesen mit besonderer Aufmerksamkeit empfing.

Es war das erstemal, daß die Goélette *Ebba* im Hafen von New Berne Anker warf. Und zweifellos hatte sie eine bloße Laune ihres Besitzers in die Mündung der Neuze gelotst. Was hatte sie schließlich an diesem Ort zu suchen? Proviant aufnehmen? Bestimmt nicht! Denn der Pamplicosund bot bei weitem nicht die Einkaufsquellen, die in anderen Häfen zur Verfügung standen – in Boston, New York, Dover, Savannah, Wilmington in Nordkarolina und Charleston in Südkarolina. Was hätte der Graf d'Artigas für seine Piaster und Banknoten denn überhaupt kaufen können auf dem unbedeutenden Markt von New Berne?

Diese Provinzhauptstadt der Grafschaft Craven in der Mündung der Neuze mit ihren kaum fünftausend Seelen führte Früchte, Steine, Möbel und Schiffsmunition aus – sonst nichts. Und im übrigen hatte die Goélette wenige Wochen vorher während eines zehntägigen Aufenthaltes vor Charleston wieder Vorräte aufgenommen für eine weite Reise mit – wie immer – unbekanntem Ziel.

Oder hatte jenen geheimnisvollen Grafen etwa der ausschließliche Wunsch hierhergeführt, *Healthful House* aufzusuchen? Warum nicht – denn dieses Sanatorium stellte eine echte Sensation dar, und niemand hätte sich über diesen extravaganten Einfall gewundert.

Vielleicht galt sein besonderes Interesse sogar Thomas Roch? Die weltweite Berühmtheit des französischen Forschers hätte eine solche Neugierde ohne weiteres gerechtfertigt: ein wahnsinniges Genie, dessen Erfindung die moderne Strategie zu revolutionieren versprach!

Am Nachmittag – zur vereinbarten Stunde – läutete Graf d'Artigas in Begleitung des Kapitäns Spade, Kommandant der *Ebba*, am Tor von *Healthful House*.

Der Pförtner war informiert, und die beiden Herren wurden sofort ins Privatbüro des Direktors geleitet.

Dieser empfing den Grafen d'Artigas mit ausgesuchter Ehrerbietung, stellte sich ihm sofort persönlich zur Verfügung, wollte die Führung durch *Healthful House* auf keinen Fall irgendeinem seiner Unterdirektoren oder leitenden Ärzte überlassen – wofür ihm der Graf mit aufrichtiger Höflichkeit dankte.

Während der Visite – zuerst der gemeinschaftlichen Unterkünfte, dann der Spezialabteilungen – unterließ es der Chef nicht, wiederholt auf die hervorragende Pflege hinzuweisen, die den Patienten hier zuteil wurde – eine Betreuung, die ihnen, wie er immer wieder glaubhaft versicherte, die eigene Familie, was Bequemlichkeit und Luxus betraf, nie bieten konnte und daß – er wiederholte es mehrmals – eben all diese Vorzüge seinem Sanatorium den außergewöhnlichen Ruf eingebracht hatten.

Den Grafen d'Artigas, der sich das alles – wie gewöhnlich ohne eine Miene zu verziehen – anhörte, schien die unversiegbare Selbstbeweihräucherung des Direktors um so stärker zu interessieren, als er dadurch noch besser das tatsächliche Motiv verheimlichen konnte, das ihn hierhergeführt hatte. Nachdem er jedoch gut und gern eine Stunde geopfert hatte, drängte es ihn schließlich zu der Frage:

»Herr Direktor – haben Sie hier nicht auch einen Patienten, von dem man in letzter Zeit sehr viel sprach? Der sogar in höchstem Maße dazu beigetragen hat, die öffentliche Aufmerksamkeit auf *Healthful House* zu lenken?«

»Der Mann, von dem Sie sprechen, Herr Graf, kann – so glaube ich wenigstens – nur Thomas Roch sein«, erwiderte der Direktor.

»Ja – dieser Franzose – dieser Erfinder, dessen Verstand völlig durcheinandergeraten ist...«

»Ganz recht –: völlig durcheinander – völlig! Und vielleicht zu unser aller Heil und Segen! Meiner Ansicht nach hat die Menschheit nur zu verlieren – durch Erfindungen, die nichts anderem als der Zerstörung dienen und von denen es ohnehin schon zu viele gibt!«

»Das haben Sie sehr klug gesagt, Herr Direktor – in dieser Hinsicht teile ich Ihre Meinung uneingeschränkt! Der wahre Fortschritt kommt nicht aus dieser Ecke, und auch ich betrachte Erfinder, die sich auf dieses Geleise begeben, als Gehilfen des Teufels. – Aber der Mann, von dem wir sprechen, hat doch inzwischen seine geistigen Fähigkeiten völlig eingebüßt?!«

»Völlig nicht – nein, Herr Graf –, nicht völlig! Nur was seine alltäglichen Verrichtungen betrifft – dafür zeigt er weder Interesse noch Verständnis und ist auch nicht mehr dafür verantwortlich zu machen. Im Gegensatz dazu ist sein Erfindergeist – wenn ich so sagen darf – intakt geblieben, hat gewissermaßen den geistigen Zerfall überlebt. Ich bin überzeugt, Herr Graf: Hätte man seinen – verzeihen Sie den Ausdruck – unverschämten Forderungen nachgegeben, er säße jetzt schon wieder an der Entwicklung einer neuen Kriegsmaschine, die – weiß Gott – kein Mensch haben will!«

»Weiß Gott nicht, Herr Direktor«, wiederholte Graf d'Artigas, und sein Kapitän Spade nickte zustimmend.

»Übrigens können Sie sich das selber ansehen, Herr Graf! Wir stehen zufällig vor dem Pavillon, in dem Thomas Roch wohnt. Wenn seine Einschließung auch aus der Perspektive der öffentlichen Sicherheit mehr als gerechtfertigt scheint, so tun wir doch – und das ist für uns eine Selbstverständlichkeit – alles, was seine Bequemlichkeit und sein Zustand erfordert. – Und dabei ist er in *Healthful House* sicher vor allen Versuchen, ihm sein tödliches Geheimnis – eventuell...«

Der Direktor beendete den Satz mit einem vielsagenden Heben beider Schultern, was den Besucher zu einem unmerklichen Lächeln veranlaßte.

Dann fragte er erstaunt: »Aber es ist doch gefährlich, diesen Thomas Roch hier alleine zu lassen?!«

»Er wird nicht alleine gelassen«, versicherte der Direktor, »niemals! Ein absolut zuverlässiger Pfleger, der seine Sprache beherrscht, hält sich ständig bei ihm auf. Sollte dem Kranken irgendwann – auf irgendeine Weise – irgendeine Bemerkung entschlüpfen, die im Zusammenhang stünde mit der Realisierung seiner Waffe, so würde dies sofort festgehalten, und wir hätten zu entscheiden, ob etwas – und gegebenenfalls was – damit geschieht.«

In diesem Augenblick warf Graf d'Artigas Kapitän Spade unbemerkt einen raschen Blick zu, und der Kapitän nickte ebenso unmerklich: Er hatte verstanden.

Und tatsächlich: Wer den Kapitän während dieses ganzen Rundgangs beobachtet hätte, wäre rasch dahintergekommen, daß er den Teil des Parks, der den Pavillon Nr. 17 umgab, mit penetranter Genauigkeit inspizierte – vor allem die verschiedenen Zugänge, so als ob er einen entsprechenden Auftrag schon vorher erhalten hätte.

Der Garten dieses Pavillons endete an der Mauer, die *Healthful House* umschloß. Außerhalb führte ein Hügel in sanftem Abhang bis zum rechten Ufer der Neuze hinunter.

Der Pavillon selbst war als Bungalow gebaut, also einstöckig – mit einer italienischen Terrasse auf dem Dach. Er enthielt nur zwei Zimmer und einen Vorraum, die Fenster waren durch Eisenstäbe vergittert. Ringsum wuchsen sehr schöne Bäume, sie alle standen in vollem Laub. Nach allen Seiten dehnten sich prächtige Rasenteppiche, überall sprossen blühende Büsche und leuchtende Blumen. Die ganze Fläche umfaßte etwa ein halbes Ar und stand ausschließlich Thomas Roch zur Verfügung, der – in Begleitung seines Pflegers – sich in diesem kleinen Paradies frei bewegen konnte.

Als Graf d'Artigas, Kapitän Spade und der Direktor diesen Teil des Parks betraten, sahen sie zunächst den Pfleger Gaydon unter der Tür zum Pavillon stehen.

Sofort heftete sich der Blick des Grafen auf ihn. Er fixierte den Pfleger mit einiger Intensität, was jedoch der Aufmerksamkeit des Direktors entging.

Schließlich war es nicht das erstemal, daß ein privilegierter Fremder den Pavillon Nr. 17 besuchen durfte, denn der französische Erfinder galt wirklich als der interessanteste und seltsamste Patient in *Healthful House*.

Aber auch Gaydon war sofort beeindruckt vom Anblick der beiden Gäste, die ihm sehr sonderbar vorkamen und deren Nationalität er nicht kannte. Der Name d'Artigas war ihm wohl geläufig, doch hatte er nie Gelegenheit gehabt, den reichen Gentleman während seiner Besuche in den östlichen Häfen persönlich kennenzulernen. Außerdem wußte er ja nicht, daß die Goélette *Ebba* in der Mündung der Neuze, zu Füßen des Hügels vor *Healthful House*, Anker geworfen hatte.

»Gaydon«, fragte der Direktor, »wo ist jetzt Thomas Roch?«

»Dort«, antwortete der Pfleger und deutete mit ausgestrecktem Arm auf einen Mann, der nachdenklich zwischen den Bäumen hinterm Pavillon hin und herschlenderte.

»Graf d'Artigas hat die Genehmigung, *Healthful House* zu besichtigen – und er möchte nicht versäumen, Thomas Roch zu sehen, von dem in letzter Zeit nur zu oft die Rede war...«

»...und von dem noch weit öfter gesprochen würde«, erwiderte Graf d'Artigas, »wenn die Bundesregierung nicht alle Maßnahmen ergriffen hätte, ihn in die Obhut dieses Sanatoriums zu geben.«

»Eine notwendige Vorsichtsmaßnahme, Herr Graf!«

»Absolut notwendig, Herr Direktor! Hoffen

wir, daß der Erfinder seine Erfindung mit ins Grab nimmt – zum Wohle und Frieden der Menschheit!«

Gaydon hatte den Grafen d'Artigas nur kurz, aber scharf beobachtet und sprach dann kein einziges Wort mehr. Er ging vor den Fremden her und führte sie zu einem Gestrüpp am Ende der Einfriedung.

Es waren nur wenige Schritte – und die Besucher standen vor Thomas Roch.

Dieser hatte sie nicht kommen sehen. Aber auch als sie längst im Halbkreis um ihn standen, schien er ihre Anwesenheit nicht zu bemerken.

Kapitän Spade versäumte auch jetzt nicht, in möglichst unverdächtiger Weise die örtlichen Verhältnisse auszukundschaften – vor allem die Umgebung des Pavillons Nr. 17 innerhalb des Parks von *Healthful House*. Er wanderte eine Allee hinauf und sah schließlich eine Mastspitze über die äußere Umzäunung ragen. Ein Blick genügte ihm, den Mast seiner Goélette zu erkennen – und so wußte er, daß die Mauer auf dieser Seite zum rechten Ufer der Neuze hinunterlief.

Inzwischen betrachtete Graf d'Artigas den französischen Erfinder. Er konnte feststellen, daß die Gesundheit dieses offensichtlich robusten Mannes unter der nun schon seit achtzehn Monaten andauernden geistigen Verwirrung noch nicht gelitten hatte. Aber sein unstetes Verhalten, seine unmotivierten Bewegungen, sein flackernder Blick, seine Unaufmerksamkeit allen Vorgängen gegenüber, die sich um ihn abspielten – all das ließ keinen Zweifel aufkommen, daß er sich in einem Zustand totaler Verwirrung befand und daß seine Denkfähigkeit zutiefst gestört war.

Thomas Roch ging auf eine Bank zu, setzte sich und zeichnete mit einem Stöckchen die Umrisse einer Befestigungsanlage vor sich in den Sand. Dann bückte er sich und häufte kleine Hügel auf – das sollten wohl Bastionen sein. Dann riß er Zweige von einem benachbarten Strauch und pflanzte sie als winzige Fahnen auf die Gipfel seiner Sandhaufen. All das mit ungeheurem Ernst und ohne sich von den Umstehenden im geringsten stören zu lassen.

Ein Kinderspiel – aber kein Kind hätte dabei ein solches Maß an Ernsthaftigkeit aufgebracht.

»Er ist also doch vollkommen übergeschnappt«, meinte Graf d'Artigas, der bei aller Disziplin seinen Ärger und seine Enttäuschung in diesem Augenblick kaum verbergen konnte.

»Ich sagte schon – man bekommt mit ihm keinen Kontakt mehr«, antwortete der Direktor.

»Könnte man ihn auch nicht mehr dazu bringen, unsere Anwesenheit zur Kenntnis zu nehmen?«

»Auch das dürfte schwierig sein.« Und – zum Pfleger gewandt: »Sprechen Sie ihn doch an, Gaydon – vielleicht erkennt er Ihre Stimme und antwortet?!«

»Er wird mir ganz bestimmt antworten«, erwiderte Gaydon, berührte die Schulter seines Pfleglings und sagte in beruhigendem Tonfall: »Thomas Roch!«

Dieser hob den Kopf, und man hatte den Eindruck, er sah von allen Anwesenden nur seinen Pfleger, obwohl Graf d'Artigas, Kapitän Spade und der Direktor den Kreis um ihn enger schlossen.

»Thomas Roch«, redete ihn Gaydon in englischer Sprache an, »hier sind zwei Besucher, die Sie kennenlernen möchten. Sie erkundigen sich nach Ihrer Gesundheit – Ihren Arbeiten...«

Einzig das letzte Wort riß den Erfinder aus seiner Lethargie.

»Meine Arbeiten«, stieß er hervor – ebenfalls in Englisch, das er wie seine Muttersprache beherrschte.

Er hob einen Stein auf, nahm ihn zwischen Daumen und Zeigefinger wie ein kleiner Junge seine Murmel, schleuderte ihn auf eine seiner Sandbastionen und zerstörte sie.

Ein Freudenschrei!

»Zerstört – vernichtet – ausradiert! Von meinem Projektil – mit einem einzigen Schuß – ausradiert!« Er richtete sich wieder hoch, das Feuer des Triumphs glänzte in seinen Augen.

»Sie sehen« – der Direktor wandte sich seufzend an Graf d'Artigas – »die Idee seiner Erfindung läßt ihn keinen Augenblick in Ruhe.«

»Sie wird erst mit ihm sterben«, versicherte der Pfleger Gaydon.

»Können Sie ihn nicht dazu bringen, von seinem Fulgurator zu reden?«

»Wenn Sie es anordnen, Herr Direktor, werde ich es versuchen.«

»Ich ordne es an – denn ich glaube, Graf d'Artigas interessiert sich dafür.«

»Selbstverständlich«, pflichtete Graf d'Artigas bei und verbarg seine brennende Unruhe hinter einem Lächeln aus Stein.

»Allerdings muß ich warnen: Es könnte zu einem neuen Anfall führen«, gab der Pfleger zu bedenken.

»Natürlich unterbrechen Sie das Gespräch, sobald Sie es für richtig halten. Sagen Sie Thomas Roch nur, daß irgend jemand mit ihm verhandeln wolle über den Kauf seines Fulgurators.«

»Und Sie fürchten nicht, er könne sein Geheimnis preisgeben?« rief Graf d'Artigas.

Dieser Einwurf kam so lebhaft, daß Gaydon den undurchsichtigen Grafen unwillkürlich mit einem mißtrauischen Blick streifte, was diesen aber überhaupt nicht zu beeindrucken schien.

»Da gibt es nichts zu befürchten«, antwortete Gaydon, »kein Versprechen wird Thomas Roch dahin bringen, sein Geheimnis zu verraten. Solange man ihm nicht seine Millionen in die Hand drückt...«

»Ich habe sie leider nicht bei mir«, entgegnete Graf d'Artigas mit ruhiger Selbstverständlichkeit.

Gaydon wandte sich seinem Pflegling zu und berührte – wie vorher schon – dessen Schulter.

»Thomas Roch«, sagte er, »es sind hier zwei Fremde, die Ihre Erfindung kaufen wollen!«

Thomas Roch sprang auf.

»Meine Erfindung«, keuchte er, »meine Rakete – mein Deflagrator!!«

Und schon deutete eine heftige Erregung auf den Ausbruch des Anfalls hin, vor dem Gaydon gewarnt hatte – und mit dem man immer rechnen mußte, wenn die Rede auf seinen Fulgurator kam.

»Was zahlen Sie dafür?? – Sagen Sie, was Sie dafür zahlen!!«

Man konnte ihm ruhig eine phantastische Summe nennen.

»Wieviel?? – Wieviel??« wiederholte er.

»Zehn Millionen Dollar« schlug Gaydon vor.

»Zehn Millionen«, schrie Thomas Roch, »– zehn Millionen – für eine Rakete, die allem, was es bisher gibt, zehnmillionenfach überlegen ist?? – Zehn Millionen – für ein Projektil, das seine Zerstörungskraft auf zehn Millionen Quadratmeter ausdehnt?? – Zehn Millionen – das ist allein der Zünder wert, der mein Geschoß zur Explosion bringt!! – Nein, nein, nein: Alles Gold, alle Diamanten der Welt reichen nicht aus für meinen Fulgurator! Und bevor ich mich auf zehn Millionen einlasse, beiße ich mir die Zunge ab –: Zehn Millionen für die Erfindung, die eine Milliarde wert ist!? – Ja – eine Milliarde!! Eine Milliarde!!!«

Es war offensichtlich: Thomas Roch waren alle Maßstäbe für Werte und Möglichkeiten verloren gegangen, sobald man mit ihm über seine Erfindung reden wollte. Hätte Gaydon ihm zehn Milliarden geboten – er hätte wahrscheinlich hundert Milliarden gefordert.

Während dieses Anfalls beobachteten ihn Graf d'Artigas und Kapitän Spade sehr genau. Der Graf mit stoischem Blick – wenn sich seine Stirn auch zusehends verdüsterte, der Kapitän kopfschüttelnd, als wollte er sagen: Mit diesem armen Teufel ist tatsächlich nicht mehr viel anzufangen.

Doch da hatte sich Thomas Roch schon davongemacht. Er stolperte durch den Garten und schrie nur noch mit vor Zorn halb erstickter Stimme: »Milliarden – Milliarden – Milliarden!!«

Gaydon hob die Schultern und sagte bedauernd zum Direktor: »Ich habe es vorausgesehen.«

Dann folgte er seinem Patienten, erwischte ihn schließlich, hakte ihn unter, führte ihn ohne viel Widerstand zurück in den Pavillon und schloß die Tür hinter sich.

Zurück blieb Graf d'Artigas, allein mit dem Direktor – denn Kapitän Spade kontrollierte ein letztes Mal den Garten – vor allem längs der unteren Mauer.

»Herr Graf – Sie sehen, ich habe nicht übertrieben,« erklärte der Direktor. »Es ist evident, daß der Zerfall des Thomas Roch von Tag zu Tag rapide fortschreitet. Nach meiner Meinung ist sein

Leiden schon unheilbar geworden. Man könnte wohl alle Schätze der Welt vor ihm aufhäufen, er würde nichts mehr verraten.«

»Möglich«, entgegnete Graf d'Artigas. – »Allerdings muß man dabei eines berücksichtigen: Nicht nur seine finanziellen Forderungen gehen ins Absurde und Unermeßliche, sondern auch die Zerstörungskraft seiner Rakete!«

»Das ist die Meinung der Experten, Herr Graf. Glücklicherweise wird seine Entdeckung mit ihm zugrunde gehen – in einem der Anfälle, die ja immer häufiger auftreten und heftiger werden. Und sicher wird auch die Triebfeder seiner Hoffnung auf Erfolg – und sie ist ja das einzige, was die Zerrüttung seines Geistes überlebt hat –, sicher wird auch diese Feder eines Tages lahm werden oder zerreißen.«

»Dann bleibt vielleicht noch die Triebfeder des Hasses«, murmelte Graf d'Artigas.

Die beiden Männer gingen schweigend zurück zur Pforte, wo Kapitän Spade schon auf sie wartete.

DRITTES KAPITEL

DOPPELTE ENTFÜHRUNG

Eine halbe Stunde später gingen Graf d'Artigas und Kapitän Spade die von hundertjährigen Buchen umsäumte Allee hinunter, die das Sanatorium *Healthful House* vom rechten Neuzeufer trennt.

Beide hatten sich vom Direktor verabschiedet und für die wohlwollende Aufnahme gedankt. Der Hausherr versäumte dabei nicht, noch einmal auf die besondere Ehre hinzuweisen, die ihm mit diesem Besuch zuteil geworden war.

Hundert Dollar als Geschenk für das Pflegepersonal zeugten von der Freigebigkeit des Grafen d'Artigas. Er war – und niemand konnte das jetzt noch bezweifeln – ein Fremder von ganz außerordentlicher Großzügigkeit – soweit man Freigebigkeit in jedem Fall als Großzügigkeit nehmen darf.

Der Graf und sein Kapitän hatten das eiserne Gittertor durchschritten, das *Healthful House* auf seinem Hügel abschließt, und waren noch einmal ein Stück der Mauer entlanggegangen, um sich zu überzeugen, daß jeder Versuch, sie unbemerkt zu überklettern, aussichtslos wäre. Der Graf schien nachdenklich – der Kapitän wartete wie gewöhnlich, bis sein Vorgesetzter das Wort an ihn richtete.

Graf d'Artigas sprach erst, als sie an eine günstige Stelle gekommen waren, von der aus man die Höhe der Mauer in der Nähe des Pavillons Nr. 17 abschätzen konnte.

»Du hast doch genug Zeit gehabt«, begann er, »dir die örtlichen Verhältnisse genau anzusehen?!«

»Ganz genau, Herr Graf«, erwiderte Kapitän Spade – der stets größten Wert darauf legte, den Fremden mit seinem Titel anzureden.

»Und du glaubst, es ist dir nichts entgangen?«

»Nichts, was wir unbedingt wissen sollten. Die Lage ist so, daß wir leicht an den Pavillon herankommen. Wenn Sie also wirklich auf Ihrem Plan bestehen...«

»Ich bestehe darauf, Spade!«

»Trotz des miserablen Zustandes, in dem sich dieser Thomas Roch befindet?«

»Trotzdem. Denn wenn wir ihn erst haben...«

Spade wagte zu unterbrechen: »Das, Herr Graf, lassen Sie meine Sorge sein! Natürlich müssen wir die Nacht abwarten, aber dann – seien Sie überzeugt: Ich werde in den Park von *Healthful House* kommen und in den Pavillon – und ohne daß mich irgendeiner sieht.«

»Und wie? Durch den vergitterten Haupteingang?«

»Nein – von dieser Seite her.«

»Aber da ist doch die Mauer! Selbst wenn es dir gelingt einzusteigen, wie willst du zurück – mit Thomas Roch? Er ist verrückt, schreit vielleicht – wehrt sich, sein Pfleger wird auch Krach schlagen!«

»Machen Sie sich keine Sorgen – wir kommen und gehen wieder, ganz einfach durch diese Tür!«

Kapitän Spade deutete auf ein Pförtchen, das wenige Schritte vor ihnen in der vom Gestrüpp überwucherten Mauer sichtbar war und das zweifellos nur vom Personal benutzt wurde, wenn es irgend etwas vom Strand der Neuze zu holen hatte.

»Durch diesen Eingang werden wir uns Zutritt

in den Park verschaffen – und nicht einmal eine Leiter brauchen.«

»Aber die Tür ist zu!«

»Sie wird schon aufgehen.«

»Sicher hat man sie von innen verriegelt!«

»Ich habe einen kleinen Spaziergang gemacht und mir erlaubt, den Riegel unbemerkt zurückzuschieben.«

Graf d'Artigas drückte die Klinke: »Und wie schließt du auf?«

»Mit diesem Schlüssel. Es wäre doch ein Jammer gewesen, ihn von innen stecken zu lassen, Herr Graf«, bemerkte der Kapitän und zeigte einen stark angerosteten Schlüssel vor.

»Sehr schön«, lobte Graf d'Artigas, »dann werden wir möglicherweise die Entführung recht bald und ohne großes Aufsehen hinter uns haben. Fahren wir zurück zu unserer Goélette. Gegen acht Uhr, wenn es dunkel wird, nimmst du dir ein Boot und fünf Mann und ruderst herüber!«

»Ja – fünf Mann, das dachte ich auch«, antwortete Kapitän Spade. »Das reicht sogar, wenn wir Pech haben und dieser Pfleger aufwacht. Den müßten wir natürlich erst kaltmachen.«

»Macht mit ihm, was ihr wollt«, entgegnete Graf d'Artigas, »aber nur, wenn es unbedingt nötig wird.« – Und nach einiger Überlegung fügte er hinzu: »Mir wäre allerdings am liebsten, ihr könntet diesen Gaydon auch schnappen und gleich mit an Bord bringen. Weiß der Teufel – vielleicht hat ihm Thomas Roch doch schon was verraten?!«

»Ach so – ja, natürlich!«

»Außerdem ist Roch an ihn gewöhnt, und ich möchte seine Gewohnheiten nicht ändern.«

Diese Bemerkung begleitete Graf d'Artigas mit

einem vielsagenden Lächeln, und Kapitän Spade begriff sofort, welche Rolle dem Wärter von *Healthful House* künftig zugedacht war.

Der Entführungsplan war damit ausgearbeitet, und alles sprach dafür, daß er gelingen würde. Wenn während der folgenden zwei Stunden, die noch bis zum Eintritt der Dämmerung blieben, nicht irgend jemand zufällig den Diebstahl des Schlüssels bemerkte und den Riegel wieder zuschob, waren Kapitän Spade und seine Leute sicher, daß sie ungehindert und unbemerkt in den Park von *Healthful House* eindringen konnten.

Man muß übrigens noch als weiteren Vorteil einkalkulieren, daß Thomas Roch der einzige war, der in dieser Anstalt einer besonderen Bewachung unterstand. Alle anderen schliefen alleine in ihrem Pavillon oder in den Räumen des Hauptgebäudes, das im unteren Teil des Parkes lag.

Alle Umstände sprachen also dafür, daß Thomas Roch und sein Pfleger Gaydon, wenn man sie überraschen und hindern konnte, ernsthaften Widerstand zu leisten oder um Hilfe zu rufen, eine leichte Beute des Planes würden, den Kapitän Spade im Auftrag des Grafen d'Artigas durchzuführen sich anschickte.

Der Fremde und sein Begleiter gingen zu einer kleinen Bucht, wo eines der Boote der *Ebba* auf sie wartete. Die Goélette lag zwei Kabellängen entfernt vor Anker. Ihre Segel waren in ihre gelblichen Hüllen gewickelt, ihre Rahen standen senkrecht, so wie das bei Luxusjachten üblich ist. Keine Flagge am Heck. Nur am Topp des Hauptmastes bewegte sich ein kleiner roter Wimpel müde im Ostwind, der immer flauer wurde und das Tuch kaum noch aufrollen konnte.

Graf d'Artigas und Kapitän Spade stiegen ins Boot. Vier Matrosen ruderten sie in wenigen Augenblicken zur Goélette hinüber, und über das seitliche Fallreep stiegen sie an Bord.

Graf d'Artigas zog sich gleich in seine Kabine auf dem Heck des Schiffes zurück, Kapitän Spade hatte auf Deck seine letzten Anweisungen zu geben.

Dann beugte er sich am Bug steuerbord über die Reling und suchte mit scharfem Blick nach einem Gegenstand, der wenige Faden entfernt aus dem Wasser ragte.

Das Ding sah aus wie eine ziemlich kleine Boje, die von der Ebbeströmung der Neuze vorbeigetrieben wurde.

Allmählich kam die Nacht. Am gegenüberliegenden linken Flußufer begannen sich die Konturen der Stadt New Berne aufzulösen. Die Häuser standen schwarz vor einem Horizont, den vom Westen her noch eine in der Abendsonne rot schimmernde Wolkenbank erhellte. Auf der Gegenseite hüllte sich der Himmel in dichte Dunstmassen. Auf Regen schien das jedoch nicht hinzudeuten, denn diese Nebelschichten hielten sich in beträchtlicher Höhe.

Gegen sieben Uhr glitzerten die ersten Lichter

von New Berne aus den Fenstern der Häuser. Die Beleuchtung der unteren Stockwerke warf bizarre Figuren aufs Wasser, die aber kaum noch schwankten, denn die Brise war am Abend völlig abgeflaut. Die Fischerboote erreichten sanft schaukelnd ihren schützenden Strand – die einen mit gespannten Segeln und in der Hoffnung auf einen letzten Hauch des Windes, die andern schnell und sicher getrieben von kräftigen Ruderschlägen, deren trockenen Rhythmus man weithin hörte. Zwei Dampfer fuhren vorbei. Aus ihren Doppelkaminen pusteten sie gewaltige Funkenbündel, die zu pechschwarzen Wolkenballen hochwucherten. Mit gigantischen Schaufeln gruben sie das Wasser unter sich, und auf dem Mitteldeck hob und senkte sich der riesige Balancier ihrer Maschinen und fauchte wie ein Seeungeheuer.

Um acht Uhr betrat Graf d'Artigas die Brücke. Ein etwa fünfzigjähriger Mann begleitete ihn, und zu ihm sagte er:

»Es ist soweit, Serkö!«

»Ich werde Spade Bescheid geben«, antwortete Serkö.

Aber da kam er schon, und der Graf meinte: »Ihr könnt euch fertig machen!«

»Wir sind fertig!«

»Paßt auf, daß niemand in *Healthful House* wach wird. Ihr müßt alles vermeiden, was den Verdacht wecken könnte, daß Thomas Roch und sein Wärter an Bord der *Ebba* geschafft wurden ...«

»... wo es verdammt schwer sein dürfte, sie zu finden – wenn man auf die Idee kommen sollte, sie hier zu suchen«, fügte Serkö hinzu.

Und er hob die Schultern und lachte.

»Ich wiederhole: Am besten, es kommt kein Verdacht auf«, sagte der Graf.

Das Boot wurde klargemacht. Kapitän Spade und fünf Mann stiegen ein. Vier von ihnen legten sich in die Riemen. Der Fünfte, Steuermann Effrondat, der während der beabsichtigten Aktion im Boot warten sollte, setzte sich ans Ruder neben Kapitän Spade.

»Mach's gut, Spade« – rief Serkö noch einmal lachend hinunter – »und sei schön leise – wie ein Bursche, der sein Mädchen entführt!«

»Schönes Mädchen – dieser Gaydon«, brummte Spade zurück.

»Du weißt ja, wir brauchen Roch und Gaydon«, rief Graf d'Artigas.

»Geht in Ordnung«, sagte Kapitän Spade.

Das Boot stieß ab, alle Matrosen schauten ihm nach, bis es von der Nacht verschluckt war.

Eigenartig: Die *Ebba* wartete seine Rückkehr ab, ohne daß die mindesten Vorbereitungen getroffen wurden, in See zu stechen. Offenbar wollte man den Ankerplatz vor New Berne erst am kommenden Tag aufgeben. Aber hätte man überhaupt ins offene Meer auslaufen können? Nicht die leiseste Brise war mehr zu spüren, und in der nächsten halben Stunde mußte die Flut das Wasser noch einige Seemeilen die Neuze stromaufwärts treiben. Vorerst stand die Goélette noch nicht senkrecht überm Anker.

Zwei Kabellängen vom Ufer entfernt, hätte die *Ebba* ohne weiteres näher herankommen können und immer noch fünfzehn bis zwanzig Fuß Tiefe gehabt. Dadurch wäre die Rückkehr des Bootes verkürzt und die Einschiffung der Entführten beschleunigt worden. Aber man verzichtete auch auf dieses Manöver – warum? Graf d'Artigas mochte seine guten Gründe haben.

Das Boot stieß nach wenigen Minuten an Land; niemand hatte die Überfahrt bemerkt.

Das Ufer war menschenleer, ebenso wie die Allee, die in undurchdringlichem Schatten mächtiger Buchen zum *Healthful House* hinaufführte.

Der Dregganker, den man ans Ufer geworfen hatte, wurde gut eingerammt.

Kapitän Spade und die vier Matrosen stiegen an Land – der Steuermann blieb als Wache an Bord – und verschwanden unter den schwarzen Kronen der Bäume.

Vor der Mauer hielt Kapitän Spade an, und seine Leute stellten sich links und rechts der Pforte auf.

Dies war eine letzte Vorsichtsmaßnahme, und jetzt hatte man nur noch den Schlüssel einzustecken und dann die Tür aufzustoßen; es sei denn, irgendein Angestellter des Sanatoriums hätte inzwischen doch bemerkt, daß sie nicht wie gewöhnlich ver-

schlossen war – und von innen den Riegel vorgeschoben.

In diesem Fall wäre die Entführung auf Schwierigkeiten gestoßen, auch wenn man die Mauer hätte überwinden können.

Zunächst legte Kapitän Spade sein Ohr an den Türflügel.

Er hörte weder Schritte im Park noch irgendein Geräusch in Richtung Pavillon Nr. 17. Kein Blatt bewegte sich in den Zweigen der Buchen, die ihre Schatten auf den Weg warfen. Ringsum die absolute Ruhe einer völlig windstillen Nacht.

Der Kapitän zog den Schlüssel aus der Tasche und ließ ihn ins Schloß gleiten. Der Haken hob sich, die Tür ging nach innen auf.

Es war also alles so geblieben, wie es der Kapitän bei seinem Besuch in *Healthful House* vorbereitet hatte.

Er trat ein, nachdem er sich noch einmal vergewissert hatte, daß niemand in der Nähe des Pavillons war – die vier Matrosen folgten ihm.

Die Tür wurde nicht wieder geschlossen, sondern nur angelehnt, was dem Kapitän und seinen Leuten im Notfall einen schnellen Rückzug ermöglichen sollte.

In diesem von hohen Bäumen und dichtem Buschwerk durchsetzten Teil des Parks waren die Schatten so tief, daß man Schwierigkeiten gehabt hätte, den Pavillon überhaupt zu entdecken. Aber eines seiner Fenster war hell erleuchtet.

Zweifellos war es das Fenster des von Thomas Roch bewohnten Zimmers. Und sicher war der Pfleger Gaydon bei ihm, der seinen Patienten ja Tag und Nacht nicht verlassen durfte. Kapitän

Spade rechnete jedenfalls damit, ihn dort vorzufinden.

Vorsichtig schlich er mit seinen vier Männern zum Pavillon. Alle gingen mit äußerster Sorgfalt vor: Kein rollender Stein, kein brechender Zweig durfte sie verraten. So kamen sie an die Seite des Pavillons, wo neben der Tür der Lichtschein durch die halbgeschlossenen Vorhänge des Fensters drang.

Wenn nun diese Tür verschlossen war – wie sollte man ins Zimmer kommen? Das mußte Kapitän Spade als erstes überlegen. Da er keinen passenden Schlüssel hatte, gab es nur eine Chance: Scheibe einschlagen, durchgreifen und von innen das Fenster öffnen, schließlich ins Zimmer hineinklettern, Gaydon überraschen und so schnell überwältigen, daß ihm keine Zeit blieb, um Hilfe zu rufen. Das schien wirklich die einzige Möglichkeit, mit Erfolg vorzugehen.

Natürlich barg dieser Gewaltakt gewisse Risiken. Kapitän Spade war sich dessen völlig bewußt – zudem war er ein Mensch, der seine Ziele lieber durch List erreichte als durch Gewalt. Aber hier schien ihm keine Wahl zu bleiben: Er mußte Thomas Roch entführen – wenn irgendmöglich auch dessen Pfleger Gaydon; so lautete der Befehl des Grafen d'Artigas – und diesen Befehl hatte er erfolgreich auszuführen, koste es, was es wolle.

Unterm Fenster angekommen, stellte sich Kapitän Spade auf die Zehenspitzen – so konnte er durch einen Vorhangspalt alles sehen, was im Zimmer vorging.

Gaydon stand über Thomas Roch gebeugt, dessen Anfall im Verlauf der vergangenen Stunden immer noch nicht völlig abgeklungen war. Eine Krise, die ganz besondere Sorgfalt erforderte – und mit dieser Sorgfalt bemühte er sich um den Kranken, unter Anleitung einer dritten Person, die sich ebenfalls im Zimmer befand.

Und das war einer der Ärzte von *Healthful House* – der Direktor hatte ihn umgehend zum Pavillon Nr. 17 beordert.

Die Anwesenheit des Arztes mußte das ganze Unternehmen natürlich außerordentlich erschweren – wenn nicht gar in Frage stellen.

Thomas Roch lag völlig angekleidet auf einer Chaiselongue. Im Augenblick schien er ziemlich ruhig. Dem Anfall, der ganz allmählich schwächer wurde, folgten gewöhnlich einige Stunden tiefer Erstarrung und erschöpfter Apathie.

Gerade als sich der Kapitän streckte, um durchs Fenster schauen zu können, war der Arzt im Begriff, sich zurückzuziehen. Spade konnte sogar hören, wie er Gaydon erwiderte, der Patient werde die Nacht über ruhig bleiben und er selbst müsse wahrscheinlich kein zweites Mal nachsehen.

Nach diesen Worten ging der Doktor auf die Tür zu, die sich – nicht zu vergessen – unmittelbar neben dem Fenster befand, unter dem der Kapitän mit seinen Leuten in Lauerstellung kauerte. Wenn sie jetzt nicht schnell verschwanden, sich hinter irgendeiner Hecke in der Nähe des Pavillons verbergen konnten, wurden sie unweigerlich entdeckt – nicht nur von dem Arzt, sondern auch vom Pfleger, der sich anschickte, den Doktor hinauszubegleiten.

Als beide durch den Vorraum gingen, gab Kapitän Spade seinen Leuten ein Zeichen, und die Matrosen huschten auseinander. Er selbst duckte sich unter die Mauer.

Zu ihrem allergrößten Glück hatte Gaydon die Lampe im Zimmer zurückgelassen, so daß die Entführer nicht Gefahr liefen, in ihrem Schein entdeckt zu werden.

Als der Arzt über die Schwelle trat, blieb er einen Augenblick auf der oberen Stufe stehen und wandte sich an Gaydon: »Das war einer der schlimmsten Anfälle, die unser Patient bisher durchzustehen hatte. Noch zwei oder drei Attakken dieser Art – und er verliert den Rest seines Verstandes.«

»Warum«, beklagte sich Gaydon, »untersagt der Direktor nicht endlich alle Besuche in diesem Pavillon? – Diesmal war es ein gewisser Graf d'Artigas! Ihm – vielmehr dem, was er zu Thomas Roch gesagt hat, verdanken wir, daß er sich wieder in diesem Zustand befindet!«

»Ich werde mit dem Herrn Direktor einmal ernsthaft darüber reden«, erwiderte der Arzt.

Er stieg dabei die Stufen herab, und Gaydon

begleitete ihn noch ein Stück die Allee hinauf – die Tür zum Pavillon ließ er halb offen.

Nachdem sie etwa zwanzig Schritte entfernt waren, stand Kapitän Spade auf, und seine Matrosen kamen wieder.

Sollte man diesen günstigen Zufall nicht ausnützen? Man könnte jetzt ohne Widerstand ins Zimmer eindringen und den immer noch in halber Bewußtlosigkeit dämmernden Thomas Roch leicht wegschleppen. Aber was dann mit Gaydon tun, wenn er zurückkam?

Sicher würde der Pfleger, sobald er das Verschwinden seines Schützlings bemerkt hätte, suchen, rufen, Alarm schlagen. Der Arzt käme zurück, bald wäre ganz *Healthful House* auf den Beinen! Bliebe Kapitän Spade überhaupt genug Zeit, den entführten Thomas Roch zur Mauer zu tragen, die Pforte zu öffnen und wieder zu schließen?

Der Kapitän konnte nicht lange grübeln. Schritte im Kies kündigten Gaydons Rückkehr zum Pavillon an.

Das beste war wohl, sich gleich auf ihn zu stürzen, ihm den Mund zu verstopfen, ehe er um Hilfe rufen konnte, und ihn so zu fesseln, daß er jeden Widerstand aufgab. Zu viert – sie waren sogar fünf – mußten sie ohne weiteres mit ihm fertig werden und ihn dann rasch wegtragen. Hinterher würde die Entführung Thomas Rochs überhaupt kein Problem mehr sein, denn diesem unglücklichen

Irren kam wahrscheinlich gar nicht zu Bewußtsein, was mit ihm geschah.

Indessen kam Gaydon um eine Hecke und ging auf die Tür zu.

Als er seinen Fuß auf die Treppe setzte, gab der

Kapitän das Zeichen: Die vier Matrosen warfen sich über ihn, rissen ihn zu Boden, ehe er einen Schrei ausstoßen konnte, knebelten ihn mit einem Tuch, wickelten ihm eine Binde um Augen und Ohren und fesselten ihm Arme und Beine so gründlich, daß er wie ein lebloser Körper auf den Stufen lag.

Zwei der Leute blieben bei ihm, die beiden anderen folgten Kapitän Spade ins Zimmer.

Wie es der Kapitän vorausgesehen hatte, lag Thomas Roch in einem Zustand, daß ihn nicht einmal die Geräusche vor der halb offenen Tür aus seinem stupiden Wachtraum gerissen hatten. Auf der Chaiselongue ausgestreckt, hätte man ihn für tot gehalten, wäre seine Brust nicht von heftiger Atemnot bewegt worden. Man mußte ihn weder fesseln noch knebeln. Es genügte vollauf, daß einer der Leute ihn unterm Kopf packte und der andere an den Beinen. So trugen sie ihn bis zum Landeplatz, wo der Steuermann der Goélette wartete.

Das alles geschah in wenigen Augenblicken.

Kapitän Spade verließ das Zimmer zuletzt. Er vergaß nicht, die Lampe zu löschen und die Tür zu schließen. So hatte er die Gewißheit, daß man die Entführung nicht vor morgen – und keinesfalls vor Tagesanbruch – entdecken würde.

Auch der Abtransport Gaydons vollzog sich ohne Schwierigkeit. Die beiden anderen Matrosen nahmen ihn hoch und schleppten ihn zur Mauer, wobei sie sich immer dicht unter Bäumen und Sträuchern hielten.

In diesem Teil des verlassen daliegenden Parks war das Dunkel besonders undurchsichtig. Man erkannte nicht einmal mehr gegen den Hügel zu das Licht in den höher gelegenen Häusern und Pavillons von *Healthful House*.

Sie erreichten die Pforte, Kapitän Spade öffnete sie vorsichtig. Die beiden Leute, die den Pfleger trugen, gingen zuerst hinaus. Dann wurde Thomas Roch von den beiden anderen durch die Tür hindurch an sie übergeben. Schließlich ging Kapitän Spade selbst und schloß die Tür. Den Schlüssel würde er in die Neuze werfen, sobald sie alle auf der *Ebba* in Sicherheit waren.

Niemand hatte es beobachtet – weder auf dem Weg, noch am Strand.

Es waren zwanzig Schritte – und Steuermann Effrondat saß an der Böschung und wartete.

Thomas Roch und Gaydon wurden hinten ins Boot verfrachtet, Kapitän Spade und die Matrosen nahmen ihre Plätze ein.

»Hol den Dregganker ein – und dann – so schnell wie's geht!« befahl Kapitän Spade seinem Steuermann.

Dieser führte den Befehl aus, schob das Boot vom Grund und sprang nach.

Die vier Matrosen legten sich wieder mächtig in die Riemen, und das Boot schoß auf die Goélette zu. Eine Laterne am Topp des Fockmasts ließ die

Ankerstelle erkennen – vor fünf Minuten hatte das Schiff unter der Flut gedreht.

Zwei Minuten später lag das Boot mit der *Ebba* Bord an Bord.

Graf d'Artigas stand neben dem seitlichen Fallreep an die Reling gelehnt.

»Erledigt, Spade?« fragte er.

»Erledigt!«

»Alle beide?«

»Alle beide – der Wächter und der Bewachte!«

»Kein Verdacht in *Healthful House*?«

»Kein Verdacht!«

Es war nicht anzunehmen, daß Gaydon, dem ja Ohren und Augen verbunden waren, die Stimmen des Grafen d'Artigas und Kapitän Spades erkennen konnte.

Außerdem muß hier noch vermerkt werden, daß weder Thomas Roch noch Gaydon sofort an Bord der Goélette genommen wurden. Im Gegenteil, man hörte eine halbe Stunde lang am Rumpf des Schiffes ein eigentümliches Reiben und Scheuern. Dann erst spürte Gaydon, der mit äußerster Disziplin und Kaltblütigkeit alles, was um ihn vorging, wahrzunehmen versuchte, wie man ihn hochhob und schließlich in ein eisernes Schott versenkte.

Damit war das Unternehmen der Entführung abgeschlossen. Eigentlich hatte die *Ebba* jetzt nichts mehr zu tun als die Anker zu lichten, die Flußmündung hinunterzusegeln, den Pamplicosund zu überqueren und die offene See zu gewinnen. Aber keines der Manöver, die notwendig sind, um ein Schiff auslaufen zu lassen, wurde durchgeführt.

Eine Viertelstunde nach der Einschiffung der Entführten schliefen alle – außer der Wache auf Bug: die Mannschaft im Zwischendeck, Graf d'Artigas, Kapitän Spade und Ingenieur Serkö in ihren Kajüten. Und die Goélette lag unbewegt im ruhigen Wasser der Neuzemündung.

VIERTES KAPITEL

DIE GOELETTE ›EBBA‹

Erst am nächsten Morgen und ohne jede Übereilung fing man auf der *Ebba* an, Vorbereitungen für die Abreise zu treffen. Vom äußersten Ende des Quais New Berne her konnte man beobachten, wie die Mannschaft klar Deck machte, dann unterm Kommando von Steuermann Effrondat die Segel auswickelte, die Leinen schießen ließ, die Taue kappte, die Boote hievte – kurz, das Auslaufen vorbereitete.

Um acht Uhr früh war Graf d'Artigas noch nicht oben, und auch der Ingenieur Serkö – sein Genosse, so nannte man ihn an Bord – hatte die Kajüte noch nicht verlassen. Nur Kapitän Spade war schon voll beschäftigt. Er gab den Matrosen alle zur unmittelbar bevorstehenden Abfahrt notwendigen Anweisungen.

Die *Ebba* war als Rennsegler gebaut, doch hatte sie sich nie an irgendeiner der Regatten beteiligt, die Nordamerika oder das Vereinigte Königreich durchführte. Ihre hohen Masten, die enorme Segelfläche, die Stellung der Rahen, ihr Wasserzug, der ihr auch unter ungünstigstem Segeldruck volle Stabilität verlieh, ihr weit vorspringender Bug und ihr schmales Heck, ihre wunderbar scharf geschnittene Wasserführung – all das waren Attribute eines äußerst schnellen und dabei seetüchtigen Bootes, das auch dem schwersten Seegang trotzen konnte.

Bei ordentlicher Brise machte die *Ebba* gute zwölf Seemeilen in der Stunde, wenn man sie scharf vor dem Wind hielt.

Es ist nicht zu leugnen, daß Segelschiffe immer den Launen des Wetters unterworfen sind. Wenn Flauten einsetzen, müssen sie sich damit abfinden, nicht mehr voranzukommen. Und mögen ihre nautischen Qualitäten denen von Dampfschiffen noch so hoch überlegen sein, so können sie doch nie einen Fahrplan einhalten, im Gegensatz zu Schiffen, denen Kohlen und Maschinen eine gewisse Stetigkeit garantieren.

Alles in allem muß man dem Schiff den Vorzug geben, welches das Segel durch den Dampfkessel ergänzt und beide Antriebskräfte vereinigt. Aber zweifellos war das nicht die Meinung des Grafen d'Artigas, denn er begnügte sich für seine Fahrten – selbst in die entferntesten Meere jenseits des Atlantik – mit der Goélette.

Am heutigen Morgen kam der Wind mit leichter Brise von Westen. Die *Ebba* hätte also ganz einfach die Mündung der Neuze hinuntersegeln und dann den Pamplicosund überqueren können, um schließlich eine der engen Wasserstraßen zu erreichen, die hinaus in den Ozean führen.

Aber zwei Stunden später schaukelte die *Ebba* immer noch überm Anker, dessen Ketten sich im fallenden Wasser anzuspannen begannen. Die Goélette hatte sich unter der Ebbe wieder gedreht und stand mit dem Heck gegen die Flußmündung. Die kleine Boje, die am Vorabend an Backbord schwamm, hatte man wohl in der Nacht eingeholt, denn sie war in der plätschernden Strömung nirgends mehr zu sehen.

Plötzlich donnerte aus der Entfernung von etwa einer Meile ein Kanonenschuß herüber, und eine kleine weiße Wolke stand über der Küstenbatterie. Einige Detonationen von Geschützen, die auf den schmalen Inseln nach der See standen, folgten als Antwort.

In diesem Augenblick erschienen Graf d'Artigas und sein Ingenieur Serkö auf der Kommandobrücke.

Kapitän Spade stieg zu ihnen hoch.

»Ein Kanonenschuß«, sagte er.

»Haben wir erwartet«, antwortete Ingenieur Serkö und hob gleichgültig die Schultern.

»Zeichen, daß man drüben in *Healthful House* unseren zweiten, unerwünschten Besuch entdeckt hat«, erwiderte Kapitän Spade.

»Sicher«, entgegnete Ingenieur Serkö, »und die Salven sind der Befehl, alle Ausfahrten zu schließen.«

»Uns geht das alles nichts an«, sagte Graf d'Artigas mit der größten Ruhe.

Und Ingenieur Serkö bestätigte: »Überhaupt nichts!«

Kapitän Spade hatte recht mit seiner Vermutung: Um diese Zeit – vielmehr kurz zuvor – war das Verschwinden Thomas Rochs und seines Pflegers in *Healthful House* bekannt geworden.

Der Arzt, der bei Tagesgrauen den Pavillon Nr. 17 aufsuchte, um dort – wie üblich – die erste Visite zu machen, hatte das Zimmer verlassen vorgefunden. Er hatte dem Direktor sofort Meldung erstattet, und der ließ zunächst das ganze Terrain innerhalb der Einfriedung durchsuchen. Dabei kam man auch zu der kleinen Pforte, durch die Roch und Gaydon entführt worden waren, und mußte feststellen, daß sie wohl verschlossen wurde, aber weder ein Schlüssel steckte noch der Riegel eingeschoben war.

Es bestand kein Zweifel mehr, daß die beiden am Abend oder während der Nacht durch diese kleine Tür verschwunden waren. Aber wie – und warum – und wohin? Es schien zunächst sinnlos, irgendwelche Vermutungen aufzustellen oder irgendeinen Verdacht zu äußern. Man wußte vorerst nur eines: Der Arzt war noch am Abend um halb acht im Pavillon gewesen und hatte Thomas Roch besucht, der unter den Nachwirkungen eines heftigen Anfalls stand. Er hatte ihn behandelt und in halb bewußtlosem Zustand zurückgelassen. Dann war er gegangen, der Pfleger Gaydon hatte ihn ein Stück die Allee hinauf begleitet.

Was hinterher geschah – darüber wußte man absolut nichts.

Die Nachricht von dieser doppelten Entführung wurde sofort telegrafisch nach New Berne und nach Raleigh weitergegeben. Durch Depeschen ordnete der Gouverneur von Nordkarolina unverzüglich an, kein Schiff dürfe den Pamplicosund passieren, ehe es nicht gründlichst durchsucht worden wäre. Eine dieser Depeschen ging an den Stationskreuzer *Falcon*, der mit der Durchführung dieser Maßnahme beauftragt wurde. Gleichzeitig wurden durch Verordnungen in der ganzen Provinz – in Stadt und Land – strenge Durchsuchungen eingeleitet.

Graf d'Artigas konnte von Bord seiner Goélette aus genau beobachten, wie auf dem Kreuzer *Falcon*, der in einer Entfernung von etwa zwei Meilen auf der Westseite der Flußmündung Anker geworfen hatte, alle Vorbereitungen zum Einsatz getroffen wurden. Bis er unter Dampf stehen würde und auslaufen könnte, wäre für die *Ebba* Zeit genug gewesen, die Segel zu hissen und sich davonzumachen. Man hätte einen Vorsprung von mindestens einer Stunde herausholen können.

»Sollen wir Anker lichten?« fragte Kapitän Spade.

»Ja – der Wind steht gut. Es soll aber keiner auf die Idee kommen, wir hätten's eilig«, antwortete Graf d'Artigas.

»Es stimmt schon«, fügte Ingenieur Serkö hinzu, »die Durchfahrten aus dem Pamplicosund werden jetzt sicher alle überwacht – und kein Schiff kommt mehr in die offene See, ohne sich vorher den Besuch einiger ebenso neugieriger wie indiskreter Gentlemen gefallen zu lassen.«

»Wir fahren trotzdem los«, befahl Graf d'Artigas. »Wenn die Offiziere des Kreuzers oder die Leute vom Zoll auf der *Ebba* genügend herumgeschnüffelt haben, wird das Embargo für uns aufgehoben werden – und dann würde ich mich doch sehr wundern, wenn sie uns nicht freie Fahrt gäben.«

»– mit tausend Entschuldigungen und tausend guten Wünschen für eine schöne Reise und eine glückliche Heimkehr«, antwortete Ingenieur Serkö – und der Satz ging unter in seinem endlosen Gelächter.

Nachdem die Neuigkeit in New Berne bekannt war, fragten sich die Behörden zunächst, ob es sich bei dem Verschwinden von Thomas Roch und seinem Pfleger wohl um Flucht oder um Entführung handelte. Da eine Flucht des französischen Erfinders jedoch nur mit Hilfe seines Pflegers denkbar gewesen wäre, ließ man diesen Gedanken fallen.

Nach Ansicht des Direktors und der Anstaltsverwaltung schloß die bisherige Führung des Pflegers Gaydon jeden Verdacht dieser Art aus.

Es war also eine glatte Entführung! Man kann sich leicht vorstellen, was diese Sensation für die Stadt bedeutete. Also bitte –: Der weltberühmte französische Forscher, schwer bewacht, war vom Erdboden verschwunden! Mit ihm sein Fulgurator, dessen Geheimnis ihm noch kein Mensch hatte entreißen können.

Mußte dieses Ereignis nicht ernsthafte Konsequenzen nach sich ziehen? War die Entdeckung einer neuen und ganz mörderischen Kriegsmaschine Amerika nicht unwiderruflich verlorengegangen? Wenn man sich vorstellte, daß dieser Menschenraub im Auftrag einer fremden Macht durchgeführt worden war, so könnte jener unbekannten Nation vielleicht auch gelingen, was den Vereinigten Staaten nicht möglich gewesen war: dem Erfinder sein Geheimnis zu entlocken oder abzukaufen! Denn daß dieser Handstreich auf Rechnung einer Privatperson ging, konnte man ja vernünftigerweise kaum annehmen.

Die Maßnahmen zur Auffindung des Verschwundenen erstreckten sich über die verschiedenen Provinzen von Nordkarolina. Die Überwachung dieses ganzen Gebietes wurde systematisch durchorganisiert. Die Straßen wurden ebenso kontrolliert wie die Schienenwege, die Städte wurden durchsucht, Felder und Wälder durchkämmt. Die

Küste sollte von Wilmington bis Norfolk gesperrt werden. Kein Schiff wurde von der Kontrolle durch Offiziere oder Beamte ausgenommen; beim geringsten Verdacht mußte es vor Anker bleiben. Nicht nur der *Falcon* traf alle Vorbereitungen zum Auslaufen, auch verschiedene Barkassen, die im Pamplicosund Dienst taten, kreuzten schon überall mit der Anweisung, alle Handelsschiffe, Luxusjachten und Fischerboote bis ins unterste Schott zu durchstöbern – gleichgültig, ob sie irgendwo vor Anker lagen oder im Begriff waren auszulaufen.

Inzwischen war die Goélette dabei, Anker zu lichten. Dabei schien sich Graf d'Artigas nicht die geringsten Sorgen zu machen. Er ignorierte die von den Behörden getroffenen Maßnahmen ebenso wie die Gefahr, der er sich aussetzte, falls man Thomas Roch und seinen Pfleger Gaydon tatsächlich an Bord seiner Goélette entdecken sollte.

Gegen neun Uhr waren alle Manöver zur Vorbereitung der Abfahrt beendet. Die Mannschaft kurbelte schon das Gangspill. Die Ketten rasselten durch die Klüsen, und sowie der Anker im Lot hing, wurden rasch die Segel gesetzt.

Wenige Augenblicke später blähten sich das Großsegel, das Focksegel, das Dreiecksegel, die beiden Klüversegel, die Jagersegel – und die *Ebba* drehte ihren Bug nach Norden und fuhr am linken Ufer der Neuze entlang in Richtung Pamplicosund.

Fünfundzwanzig Kilometer östlich von New

Berne biegt die Mündung im scharfen Winkel und weitet sich nach Nordwest. Nachdem die *Ebba* Croatan und Havelock passiert hatte, erreichte sie dieses Knie und segelte unterm Wind, der vom linken Ufer einfiel, in nördlicher Richtung weiter.

Es war elf Uhr geworden, als sie bei stetig auffrischender Brise und ohne von dem Kreuzer oder einer Barkasse belästigt zu werden, die Landzunge der Insel Silvan umsegelte und in den Pamplicosund einlief.

Diese enorme Wasserfläche mißt von den Inseln Silvan bis Roadoke gute hundert Kilometer. Zum offenen Meer hin wird sie von einer Kette langer und schmaler Inseln umsäumt, die sie gegen den Ozean abschließen. Dieser natürliche Damm verläuft von Kap Lookout nach Norden bis Kap Hatteras und weiter bis Kap Henri in Höhe der Stadt Norfolk. Dort sind wir bereits in Virginia, dem nördlichen Angrenzer Nordkarolinas.

Der Pamplicosund wird von zahllosen Küstenfeuern markiert, die man überall auf den Inseln unterhält, damit auch über Nacht Schiffe fahren können. Viele von ihnen suchen hier Schutz vor der draußen allzu stürmischen See und finden auch sicheren Ankergrund.

An verschiedenen Stellen kann man zwischen zwei Inseln hindurch das offene Meer – den Atlantischen Ozean – erreichen. Neben dem Leuchtturm von Silvan zum Beispiel durchbricht der Ocracoke-Inlet die Kette, etwas nördlich der Hatteras-

Inlet, weiter oben noch drei andere, die Logger Head, die New Head und der Orégon.

Die Goélette fuhr in Richtung Ocracoke-Inlet, und wenn sie ihre bisherige Segelstellung beibehielt, würde sie wohl auch diese Ausfahrt benützen.

Das war jedoch genau der Teil des Pamplicosunds, welcher vom *Falcon* kontrolliert wurde – und der hatte auch schon damit begonnen, alle Frachter und Fischerboote, die in Richtung Ozean fuhren, zu stoppen und zu durchsuchen. Denn inzwischen war der Regierungsbefehl überall bekannt, jedes Schiff wurde durch die Marine beobachtet, und die Küsterbatterien beherrschten alle Zufahrten.

Die *Ebba* näherte sich dem Ocracoke-Inlet nur mit geringer Fahrt und versuchte auch nicht, den Schaluppen aus dem Weg zu gehen, die überall auf dem Pamplicosund herumdampften. Es sollte den Anschein haben, als mache eine Luxusjacht ihren Vormittagsausflug – und so segelte sie gemütlich weiter, der Hatterasausfahrt zu.

Zweifellos hatte Graf d'Artigas ganz bestimmte und nur ihm bekannte Gründe, die ihn veranlaßten, ausgerechnet diese Ausfahrt anzusteuern, denn seine Goélette luvte um ein Viertel an, um diese Richtung beizubehalten.

Bisher war die *Ebba* also nicht angehalten worden – weder von Zollbeamten noch von Offizieren des Kreuzers, obwohl sie nichts unternommen hatte, sich einer Kontrolle zu entziehen. Allerdings – inzwischen war die Gelegenheit zur Flucht oder Täuschung auch längst verpaßt.

Wollten ihm die Behörden den Ärger einer Untersuchung ersparen? Hatte man Anweisung gegeben, die Luxusjacht eines so vornehmen Herren passieren zu lassen? Hielt man es für unzumutbar, ihre Fahrt auch nur für eine Stunde zu unterbrechen?

Das war unwahrscheinlich. Denn immerhin war der Graf ein Fremder, der zwar das Leben eines Grandseigneurs zu führen in der glücklichen Lage war, von dem man aber nicht wußte, was er eigentlich wollte, woher er kam und wohin er ging.

Die Goélette setzte also, schlank und grazil, ihre Spazierfahrt durch den Pamplicosund fort. Ihre Flagge, ein goldener Halbmond in der Ecke des roten Tuches, flatterte weit sichtbar im Wind.

Graf d'Artigas saß auf dem Hinterdeck in einem der Rohrstühle, die auf Luxusjachten üblich sind. Er unterhielt sich mit Kapitän Spade und Ingenieur Serkö.

»Sie lassen sich Zeit mit ihrem Höflichkeitsbesuch, die Herren Offiziere von der Bundesmarine«, sagte Ingenieur Serkö.

»Wenn sie Lust haben, sollen sie ruhig kommen«, antwortete Graf d'Artigas mit absoluter Gleichgültigkeit.

»Sicher erwarten sie die *Ebba* vor der Einfahrt in den Hatteras-Inlet«, meinte Kapitän Spade.

»Mir soll's recht sein«, gähnte der Graf.

Und fiel in die phlegmatische Interesselosigkeit zurück, die er sich angewöhnt hatte.

Die Voraussage des Kapitän Spade schien sich zu bestätigen, denn offensichtlich wurde die *Ebba* direkt auf die Hatterasstraße zugetrieben. Wenn der *Falcon* sie bisher noch nicht angehalten hatte, so würde er das bestimmt tun, sobald sie sich in die Meerenge hineinschob. Denn in diesem Schlauch konnte sie der vorgeschriebenen Kontrolle unmöglich ausweichen, wenn sie den Pamplicosund verlassen und die offene See erreichen wollte.

Aber auf der Goélette dachte ja gar niemand daran, sich der bevorstehenden Durchsuchung zu entziehen! Hatte man Thomas Roch und Gaydon tatsächlich so unauffindbar an Bord versteckt, daß sie die Beamten in keinem Fall finden konnten?

Man mußte es wohl annehmen. Doch wäre Graf d'Artigas vielleicht ein bißchen weniger zuversichtlich gewesen, hätte er gewußt, daß der Kreuzer und die Schaluppen in der Zwischenzeit auf die *Ebba* besonders aufmerksam gemacht worden waren.

Denn tatsächlich hatte der Besuch des Fremden in *Healthful House* nachträglich einen gewissen – wenn auch unbestimmten – Verdacht geweckt. Der Direktor hatte für sein Mißtrauen zwar keinerlei konkrete Anhaltspunkte. Aber immerhin: Thomas Roch und sein Pfleger waren wenige Stunden nach dem Auftauchen des Grafen entführt worden. Und nach jenem Besuch war niemand mehr – außer dem Arzt – mit den beiden Entführten zusammengekommen. Die Direktion fragte sich, ob der Graf nicht vielleicht doch irgendwie seine Hand im Spiel haben konnte. Schließlich war er mit der Örtlichkeit vertraut – warum sollte sein Begleiter nicht den Riegel zurückgeschoben und den Schlüssel an sich genommen haben? Er könnte in der Nacht zurückgekommen, in den Park eingeschlichen sein – Roch und Gaydon ohne besondere Schwierigkeiten entführt und zur *Ebba* gebracht haben, die ja nur zwei Kabellängen entfernt vor Anker lag?!

Diese Indizien, die sich der Direktor und seine Beamten im Verlauf der ersten Untersuchung des Falls allmählich erarbeiteten, verdichteten sich noch, als man die Goélette Anker lichten sah und sich vergewisserte, daß sie Anstalten traf, durch den Pamplicosund hindurch die offene See anzusteuern.

Die Behörden von New Berne hatten also dem Kreuzer *Falcon* und sämtlichen Dampfbarkassen vom Zoll Anweisung gegeben, der Goélette *Ebba* zu folgen und sie bei der Ausfahrt ins offene Meer zu stoppen. Die Durchsuchung sollte besonders rigoros durchgeführt werden: Kajüten, Mannschaftsräume, Proviant- und Laderäume waren bis auf den letzten Winkel zu durchstöbern. Erst wenn absolute Gewißheit bestünde, daß Thomas Roch und Gaydon nicht an Bord wären, durfte die Weiterfahrt gestattet werden.

Noch hatte Graf d'Artigas keine Ahnung von dem besonderen Verdacht, der auf ihn gefallen war – und daß die Offiziere und Beamten Befehl hatten, seine Jacht gründlicher als andere unter die Lupe zu nehmen.

Aber auch wenn er es gewußt hätte – dieser stolze, hochmütige Mann wäre wahrscheinlich nicht einmal von seinem Rohrstuhl aufgestanden.

Endlich, gegen drei Uhr am Nachmittag, manövrierte sich die Goélette, die bisher eine gute Meile vor dem Hatteras-Inlet gekreuzt hatte, gegen die Mitte der Einfahrt.

Der *Falcon*, der dort noch einige Fischerboote kontrollierte, ehe er ihnen die Durchfahrt zur See freigab, wartete in der Mitte der Wasserstraße. Es war unwahrscheinlich, daß die *Ebba* jetzt noch versuchen würde, unbemerkt vorbeizuschleichen oder mit prallen Segeln den Formalitäten zu entkommen, denen sich alle Schiffe im Pamplicosund unterziehen mußten. Ein einfacher Segler konnte einem Kriegsschiff niemals davonlaufen, und wenn die Goélette der Aufforderung beizulegen nicht nachgekommen wäre, hätte sie ein Schuß vor den Bug sehr schnell zur Räson gebracht.

Da löste sich auch schon ein Boot mit zwei Offizieren und zehn Matrosen vom Kreuzer und steuerte so, daß es den Weg der *Ebba* kreuzen mußte.

Graf d'Artigas beobachtete das Manöver von

seinem Platz auf dem Hinterdeck und zündete sich sorglos eine neue Havanna an.

Als das Boot auf eine halbe Kabellänge heran war, stand einer der Matrosen auf und schwenkte eine kleine Fahne.

»Befehl zu stoppen«, sagte Ingenieur Serkö.

»Sieht so aus«, antwortete Graf d'Artigas.

»Wir sollen warten.«

»Schön – warten wir.«

Kapitän Spade traf sofort alle Vorbereitungen zu brassen. Das Vorstagsegel, das Focksegel und das Breitsegel wurden eingeholt, so daß der Fockmast nackt über der Querbarre stand.

Der Lauf der Goélette war damit abgebremst, und sie kam zum Stillstand. Sie wurde nur noch leicht von der strömenden Ebbe gegen das offene Meer zu bewegt.

Wenige Ruderschläge, und das Boot des *Falcon* lag seitlich an der Bordwand der *Ebba*. Ein Bootshaken wurde in die Halterungen des Großmastes geschlagen. Die Leiter rollte über die Bordwand, und die beiden Offiziere, begleitet von acht Mann, kletterten an Deck. Zwei Mann blieben als Wache im Boot.

Die Mannschaft der Goélette stellte sich am Vorderkastell in Reih und Glied.

Der rangälteste der beiden Offiziere, ein Schiffsleutnant, ging auf den Eigentümer der *Ebba* zu, der langsam aufstand, und es begann das folgende Frage-und-Antwort-Spiel:

»Diese Goélette gehört dem Grafen d'Artigas, den zu begrüßen ich wohl die Ehre habe?!«

»Ganz recht.«

»Name der Jacht?«

»Ebba.«

»Name des Kapitäns?«

»Spade.«

»Nationalität?«

»Indo-malaiisch.«

Der Offizier warf einen Blick hinauf zur Flagge, während Graf d'Artigas sich wunderte:

»Darf ich erfahren, was mir das Vergnügen Ihres Besuches an Bord meiner Goélette verschafft?«

»Wir haben Befehl«, erwiderte der Offizier, »alle Schiffe zu durchsuchen, die zurzeit im Pamplicosund ankern – oder ihn verlassen wollen.«

Er hatte wenig Lust, auf diesen Punkt näher einzugehen. Denn er wußte ja, daß die *Ebba* jetzt weit strenger als alle anderen Schiffe durchwühlt würde. So fügte er nur hinzu:

»Sie haben doch sicher nicht die Absicht – oder gar einen Grund, uns die Überprüfung zu verweigern?!«

»Keineswegs, Herr Leutnant«, antwortete Graf d'Artigas. »Meine Goélette steht Ihnen vom Topp bis zum Kiel zur Verfügung. Es würde mich nur interessieren, warum die Schiffe innerhalb des Pamplicosunds ausgerechnet heute diesen Formalitäten unterzogen werden?«

»Ich sehe keine Veranlassung, Ihnen den Grund zu verschweigen, Herr Graf«, entgegnete der Offizier. »Aus dem Sanatorium *Healthful House* wurde dem Gouverneur von Karolina eine Entführung gemeldet. Und die Behörden wollen sichergehen, daß die Opfer nicht während der vergangenen Nacht auf ein Schiff verschleppt wurden.«

»Unglaublich.« Graf d'Artigas tat sehr überrascht. »Und wer sind die Leute, die in *Healthful House* so plötzlich verlorengingen?«

»Ein Erfinder – ein Verrückter, zusammen mit seinem Wärter –«

»Ein Verrückter, sagen Sie? – Aber doch nicht etwa der Franzose Thomas Roch?!«

»Genau!«

»Was? – Der Thomas Roch, den ich gestern bei einer Besichtigung von *Healthful House* besucht habe?! Dem ich in Anwesenheit des Direktors einige Fragen stellte – und den wir, Kapitän Spade und ich, verlassen mußten, weil er gerade wieder einen seiner fürchterlichen Anfälle bekam?«

Der Offizier beobachtete den Grafen sehr aufmerksam in der Hoffnung, seinen Worten oder Reaktionen irgend etwas Verdächtiges zu entnehmen.

»Es ist doch einfach nicht zu glauben!« fügte Graf d'Artigas noch einmal hinzu.

Er sagte das, als ob er zum erstenmal etwas vom Menschenraub in *Healthful House* gehört hätte.

»Unter diesen Umständen, Monsieur – und besonders, da es sich um Thomas Roch handelt, begreife ich sehr wohl die Besorgnis Ihrer Behörden und billige alle Maßnahmen in vollem Umfang. Ich brauche wohl nicht hinzuzufügen, daß weder der französische Erfinder noch sein Wärter sich an Bord der *Ebba* befinden. Im übrigen: Durchsuchen Sie die Goélette mit der Gründlichkeit, die Ihnen geboten scheint! Kapitän Spade – bitte begleiten Sie die Herren!«

Dies war seine Antwort. – Er grüßte dann noch kühl zum Leutnant des *Falcon* hinüber, nahm wieder Platz in seinem Rohrsessel und widmete sich seiner Zigarre.

Die beiden Offiziere und die acht Matrosen begannen das Schiff zu durchsuchen – Kapitän Spade begleitete sie.

Zunächst stiegen sie durch die Treppenkappe in den Hinterdecksalon hinunter. Dieser war mit allem erdenklichen Komfort ausgestattet: Kostbare alte Möbel, die Wände edelholzgetäfelt, seltene Kunstgegenstände, kostbare Tapeten und Wandteppiche.

Selbstverständlich wurde dieser Salon, dann die anschließenden Kajüten – auch die des Grafen – mit der Gewissenhaftigkeit durchsucht, die nur erfahrene Kriminalbeamte aufbringen. Kapitän Spade beteiligte sich eifrig an den Bemühungen, denn er wollte alles vermeiden, was dem Verdacht gegen seinen Chef, den Besitzer der *Ebba*, Nahrung geben konnte.

Nach dem Salon und den hinteren Kajüten kam der luxuriös ausgestattete Speisesaal an die Reihe.

Man stöberte in den Kabinen, in der Kombüse, klopfte die vorderen Kajüten – des Kapitäns Spade und des Steuermanns – ab, dann wühlte man den Mannschaftsraum durch –: Kein Thomas Roch wurde entdeckt – und auch kein Gaydon.

Nun blieb nur noch der Laderaum – und der erforderte natürlich eine besonders eingehende Untersuchung. Die Lukendeckel wurden abgehoben, Kapitän Spade ließ zwei Positionslaternen bringen und entzünden, um in ihrem Schein die letzte Ecke ausleuchten zu können.

Dieser Raum enthielt ausschließlich Vorräte: Wasserkanister, Weinbarren, Fässer mit Alkohol – Gin, Branntwein, Whisky und Bier –, Kohlen, alles in großen Mengen, denn die Goélette hatte sich für eine lange Fahrt verproviantiert.

Die amerikanischen Matrosen zwängten sich durch die Hohlräume der Ladungen bis zu den Innenstreben, zur sogenannten »Wägung«, stachen in Säcke und rissen Kisten und Ballen auf – es war alles umsonst.

Zuletzt war offenkundig geworden, daß der Verdacht, Graf d'Artigas sei irgendwie mit der Entführung des berühmten Patienten aus *Healthful House* in Verbindung zu bringen, jeder Grundlage entbehrt hatte.

Die Untersuchung wurde nach etwa zwei Stunden ohne jedes Resultat beendet.

Um halb sechs stiegen die Offiziere und Matrosen des *Falcon* wieder an Deck der Goélette, nachdem sie deren Inneres buchstäblich umgestülpt hatten und mit absoluter Sicherheit feststellen mußten, daß weder Thomas Roch noch Gaydon an Bord waren. Auf Deck schauten sie dann noch ins Vorderkastell und in die Boote. Damit waren sie endgültig überzeugt, daß der Verdacht gegen die *Ebba* zu Unrecht bestanden hatte.

Die beiden Offiziere mußten sich jetzt nur noch vom Grafen d'Artigas verabschieden und kamen auf ihn zu.

»Sie entschuldigen die Belästigung, Herr Graf«, sagte der Leutnant.

»Meine Herren, Sie mußten die Befehle ausführen, die man Ihnen gegeben hat.«

»Es sollte ja auch nicht mehr sein als eine einfache Formalität«, glaubte der Offizier hinzufügen zu müssen.

Graf d'Artigas nickte verbindlich – zum Zeichen, daß er diese Bemerkung in gutem Glauben hinnahm.

»Ich hatte Ihnen versichert, meine Herren, daß ich an der Entführung nicht beteiligt war.«

»Wir haben nie daran gezweifelt, Herr Graf. – Und jetzt bleibt uns nichts mehr, als an Bord unseres Kreuzers zurückzukehren!«

»Wie Sie wünschen. – Und die Goélette *Ebba* hat doch jetzt freie Durchfahrt?!«

»Aber selbstverständlich!«

»Auf Wiedersehen, meine Herren – auf Wiedersehen, denn ich besuche diese Küsten sehr oft und werde sicher bald wiederkommen. Ich hoffe, Sie haben dann den Menschenraub aufgedeckt und Thomas Roch wieder nach *Healthful House* in Sicherheit gebracht. Denn das liegt sehr wohl im Interesse der Vereinigten Staaten und – ich darf hinzufügen – der ganzen Menschheit.«

Nach diesen Worten grüßten die beiden Offiziere den Grafen d'Artigas mit militärischer Höflichkeit, und er dankte durch ein joviales Lächeln.

Kapitän Spade begleitete sie zu ihrer Strickleiter. Sie stiegen hinunter ins Boot, und die Matrosen ruderten sie zu ihrem Kreuzer zurück, der zwei Kabellängen entfernt wartete.

Auf ein Zeichen des Grafen d'Artigas ließ Kapitän Spade wieder alle Segel so aufziehen, wie sie vor dem Zwischenfall gestanden hatten. Die Brise war inzwischen noch etwas steifer geworden, und die *Ebba* glitt nun schnell auf den Hatteras-Inlet zu.

Eine halbe Stunde später hatte sie die Enge passiert und steuerte ins offene Meer hinaus.

Eine Stunde lang segelte man in ostnordöstlicher Richtung. Wie gewöhnlich war aber schon nach einigen Meilen nichts mehr vom Landwind zu spüren. Die *Ebba* machte schlapp, die Segel hingen müde an den Rahen, kein Steuereffekt mehr: Das Schiff lag still in der unbewegten See.

Es schien, die Goélette müsse die folgende Nacht an dieser Stelle zubringen.

Kapitän Spade beobachtete vom Bug. Seit dem

Verlassen des Inlets hielt er Ausschau – abwechselnd nach Backbord und nach Steuerbord, so als suche er irgendeinen im Wasser schwimmenden Gegenstand.

Plötzlich rief er mit lauter Stimme:

»Alle Segel einziehen!«

Die Matrosen hatten diesen Befehl offenbar erwartet. In großer Eile lösten sie die Drissen und knüpften die schlaffen Segel an Rahen und Stangen, ohne sie jedoch in ihre Hüllen zu packen.

Wollte Graf d'Artigas wirklich an dieser Stelle den kommenden Morgen abwarten und die damit wieder aufkommende Brise? Doch dann war es ungewöhnlich, nicht unter voller Takelage zu bleiben, um in der Dämmerung gleich den ersten Windhauch auszunützen!

Das Beiboot wurde zu Wasser gelassen, und Kapitän Spade stieg hinunter und nach ihm ein Matrose, der das Boot mit einem großen Riemen zu einem Ding hinwriggte, das ein paar Meter backbord schwamm.

Es war eine kleine Boje, ähnlich der, die auf der Neuze trieb, als die *Ebba* nahe am Ufer vor *Healthful House* ankerte.

Die Boje wurde mitsamt dem daran befestigten Tau ins Boot gezogen und auf das Vorderdeck der Goélette gebracht.

Auf Befehl des Steuermanns knüpfte man neben das eine Tau ein zweites an die Boje. Dann warf man sie über Bord und zog das Boot herauf.

Fast augenblicklich spannte sich das zuletzt an der Boje befestigte Schlepptau, und die *Ebba* nahm Fahrt auf. Mit einer Geschwindigkeit von mindestens zwölf Meilen in der Stunde rauschte sie trotz völlig eingerollter Segel nach Osten.

Die Nacht war wieder schwarz, und bald tauchten die Feuer vor der amerikanischen Küste in den undurchdringlichen Dunst am westlichen Horizont.

FÜNFTES KAPITEL

WO BIN ICH?

(Aus dem Tagebuch des Ingenieurs Simon Hart)

Wo bin ich? – Was ist passiert, seit sie mich überfallen haben – unter der Tür zum Pavillon Nr. 17?

Ich war nur wenige Schritte weggegangen, um mich vom Arzt zu verabschieden. Wollte die Stufen hinauf, zurück ins Zimmer, mich wieder um Thomas Roch kümmern.

Es waren ein paar Männer, sie haben mich niedergeschlagen und gefesselt. Wer sind sie? Erkennen konnte ich keinen, denn sie haben mir gleich die Augen verbunden. Um Hilfe rufen konnte ich auch nicht, sie haben mir einen Knebel in den Mund gesteckt. Ich konnte nicht einmal um mich schlagen, denn sie hatten mir Arme und Beine zusammengeschnürt.

Wie ein Paket haben sie mich dann aufgenommen, ungefähr hundert Schritte weit geschleppt, hochgehoben – und dann irgendwo hingelegt.

Wo? – Wo? –

Und Thomas Roch, was ist mit ihm? Sicher hatten sie es doch auf ihn abgesehen – nicht auf mich! Zumindest höchstwahrscheinlich! Ich war für sie ja nur der Pfleger Gaydon und nicht der Ingenieur Simon Hart, von dessen früherer Stellung und tatsächlicher Nationalität keiner eine Ahnung hatte! Und an der Entführung eines kleinen Sanatoriumsangestellten konnte doch kein Mensch interessiert sein!?

Nein – es handelte sich hier um die Verschleppung des französischen Erfinders – darüber gab es überhaupt keinen Zweifel. Und wenn man ihn von *Healthful House* entführt hatte – dann einzig in der Hoffnung, an seine geheimnisvolle Erfindung heranzukommen.

Ich muß vorsichtig sein: Meine ganzen Überlegungen gründen sich auf der Annahme, Thomas Roch sei mit mir verschwunden. Ist das vielleicht nicht nur eine Hypothese? – Nein nein, das war schon so – mußte so sein, ich kann es einfach nicht länger bezweifeln.

Ich bin ja auch nicht irgendwelchen Gaunern in die Hände gefallen, die in *Healthful House* einbrechen wollten, denn die wären ganz anders vorgegangen. Nachdem sie mir den Mund verstopft, mich irgendwo in eine Hecke gelegt, dann – wahrscheinlich – Thomas Roch entführt hatten, wären sie sicher nie auf die Idee gekommen, mich mitzunehmen und hier zu deponieren, wo ich jetzt bin.

Aber wo ist das? Diese unlösbare Frage quält mich nun schon seit vielen Stunden.

Wie dem auch sei – ich bin hier plötzlich in ein ganz ungewöhnliches Abenteuer verwickelt – ich weiß nicht, was für eines –, ich kann mir auch noch nicht vorstellen, wie das weitergehen und was am Ende dabei herauskommen soll. Jedenfalls bin ich fest entschlossen, in jedem Augenblick alles, was um mich vorgeht, in meinem Gedächtnis festzuhalten und – sobald das möglich ist – meine täglichen Eindrücke und Erlebnisse auch schriftlich zu fixieren. Wer weiß, wie alles kommen wird – und warum sollte das Abenteuer nicht vielleicht sogar zu der schließlichen Entdeckung des Geheimnisses um den Fulgurator Roch führen?

Wenn ich einmal wieder frei bin, soll man alles wissen – auch wer die Urheber dieses verbrecherischen Attentats waren, dessen Folgen so verheerend sein können.

Und immer wieder komme ich auf meine erste Frage zurück und hoffe, daß irgendein Zufall mir helfen wird, sie endlich zu beantworten:

Wo bin ich?

Ich kann nicht mehr tun, als alles genau zu rekonstruieren:

Man trug mich auf kräftigen Schultern – einen lebenden Sarg – von *Healthful House* weg. Dann wurde ich abgelassen – mit einer gewissen Vorsicht übrigens – und auf die Holzbank eines Schiffes gelegt, das sich dabei zur Seite neigte, also muß es ein kleines Boot gewesen sein.

Diesem ersten Schaukeln folgte bald ein zweites – und zwar nach der Gegenseite. Daraus muß ich schließen, daß man noch einen anderen Körper gebracht hatte – und das konnte nur Thomas Roch sein. Bei ihm waren Vorsichtsmaßnahmen ja überflüssig. Man brauchte ihn weder zu knebeln noch zu fesseln noch ihm die Augen zu verbinden. Er mußte noch so geschwächt sein, daß er keinen Widerstand leisten konnte – und so verwirrt, daß er nicht realisierte, was um ihn vorging.

Ich hatte mich nicht getäuscht. Ein charakteristischer Äthergeruch drang bis unter die Binde, die mir Mund und Augen verschloß. Und kurz bevor der Arzt uns verließ, hatte er dem Patienten tatsächlich zur Beruhigung ein paar Tropfen Äther aufgeträufelt und – ich erinnerte mich genau – etwas davon auf Rochs Kleidung verschüttet, als dieser sich während der Prozedur einmal heftig aufbäumte – es war der Höhepunkt seines Anfalls. Kein Wunder also, daß dieser eigentümliche Geruch noch an ihm haften blieb – und ich ihn deutlich wahrnehmen konnte.

Ja – Thomas Roch lag auch hier in diesem Boot – fast neben mir. Und wäre ich wenige Augenblicke später zum Pavillon zurückgekehrt, hätte ich ihn nicht mehr vorgefunden.

Auch davon komme ich nicht los: Warum mußte

dieser Graf d'Artigas auf die unglückliche Idee kommen, *Healthful House* zu besuchen? Wäre mein Pflegling ihm nicht vorgestellt worden, hätte das alles nicht passieren können. Und mußte man mit ihm auch noch über seine Erfindung sprechen?! Kein Wunder, daß dies wieder einen Anfall nach sich zog – und den schlimmsten, den er je hatte! Den härtesten Vorwurf verdiente ja der Direktor, weil er meine Warnung nicht beachtet hatte. Hätte er auf mich gehört, wäre es zu keinem Anfall gekommen, kein Arzt nötig gewesen, die Tür am Abend verschlossen geblieben und die Entführung mißglückt.

Was die Gründe anging, welche die Entführer bewogen haben mochten, Thomas Roch in ihre Gewalt zu bringen, so konnte ich ganz beruhigt sein – auch wenn es sich um die Interessen einer fremden Macht handelte. Niemand würde Erfolg haben, nachdem ich es fünfzehn Monate lang vergeblich versucht hatte. Mein kranker Freund war bereits auf eine Stufe geistiger Unzurechnungsfähigkeit herabgesunken, daß es keinen Zweck mehr hatte, sich weiter um ihn und sein Geheimnis zu bemühen. Und sein Zustand konnte sich nur noch derart verschlimmern, daß seine Krankheit auch auf die wenigen Gebiete seines Denkvermögens übergriff, die bis heute noch einigermaßen intakt geblieben waren – und dann würde er in völliger Umnachtung versinken.

Aber im Augenblick geht es für mich ja nicht

nur um Thomas Roch, sondern auch um mich selber – das darf ich nicht vergessen!

Nachdem die Matrosen eingestiegen waren und sich das Boot ausgeschaukelt hatte, schoß es unter kräftigen Ruderschlägen voran. Aber schon nach einer Minute lag es, nach einem sanften Stoß, wieder still. Offenbar hatte das Boot am Rumpf eines Schiffes beigelegt. Es folgten Geräusche und Bewegungen. Es wurde gerufen, kommandiert, manövriert. Unter meiner Binde konnte ich zwar nichts verstehen, aber ich hörte doch das Gewirr der Stimmen, das etwa fünf oder sechs Minuten andauerte.

Für mich gab es bisher nur eine Erklärung: Man brachte mich auf das Schiff, zu dem das Boot gehörte, und würde mich dort in irgendeinem Laderaum zumindest so lange versteckt halten, bis man das offene Meer erreicht hätte. Denn solange man innerhalb des Pamplicosunds segelte, war es unwahrscheinlich, daß man mich oder Thomas Roch an Deck ließ.

Immer noch gefesselt und geknebelt, packte man mich schließlich an den Füßen und unter den Schultern. Ich hatte den Eindruck, daß man mich nicht nach oben beförderte, über eine Reling hievte, sondern im Gegenteil – versenkte.

Würde man mich jetzt einfach fallen lassen – ins Meer werfen, um einen lästigen Zeugen loszuwerden?

Einen Augenblick lang lähmte dieser Gedanke

meinen ganzen Verstand. Eine Gänsehaut überzog mich von Kopf bis Fuß. Unbewußt tat ich einen tiefen Atemzug, pumpte mir die Lunge voll mit der frischen Seeluft, die ihr vielleicht im nächsten Moment bitter fehlen würde.

Aber nein –: Man senkte mich – wieder mit einiger Sorgfalt – hinunter auf festen Boden, der sich metallisch kühl anfühlte, und dort lag ich – lang ausgestreckt. Zu meiner größten Überraschung löste man die Stricke, mit denen man mich gefesselt hatte. Dann hörte ich plötzlich keine Schritte mehr, und kurz darauf wurde – dem Geräusch nach zu schließen – eine schwere eiserne Tür mit dumpfem Knall zugeschlagen.

Wo bin ich jetzt? – Und bin ich allein? – Ich ziehe mir den Knebel aus dem Mund und die Augenbinde über den Kopf.

Ringsum dunkel – pechschwarze Nacht. Nicht der geringste Lichtschein, nicht einmal die unbestimmte Empfindung von Helligkeit, die sonst dem Auge auch in völlig verdunkelten Räumen erhalten bleibt.

Ich rufe – ich rufe immer wieder: keine Antwort. Meine Stimme klingt erstickt, wie Watte – ich muß mich in einem völlig schalltoten Raum befinden.

Die Luft, die ich atme, ist warm, schwer, dick – meine Lungen müssen hart arbeiten, und bald werden sie es schwer haben und nicht mehr können, wenn nicht frischer Sauerstoff zugeführt wird.

Ich strecke die Arme aus, meine Finger stoßen ringsum auf Widerstand:

Ich liege in einer Zelle mit Wänden aus Eisenplatten. Sie ist klein – mißt kaum mehr als drei bis vier Kubikmeter. Ich wische mit der Hand über die Platten und stelle fest, daß sie vernietet sind wie die Schotten in einem Schiff.

Mir scheint, in eine der Wände ist die Eisentür eingelassen, denn ich kann den um einige Zentimeter vorstehenden Rahmen und die Scharniere abtasten. Sicher öffnet sich diese Tür von außen nach innen, und durch sie muß ich auch in mein enges Verlies hereingebracht worden sein.

Auch wenn ich mein Ohr an die Tür lege, vernehme ich kein Geräusch. Die Stille ist ebenso undurchdringlich wie das Dunkel. Eine schauerliche Stille, nur unterbrochen vom metallischen Echo meiner eigenen Bewegungen. Kein einziges der dumpfen Geräusche, die sonst auf jedem Schiff zu hören sind – weder das Rauschen des am Rumpf vorbeiziehenden Wassers noch das Plätschern, wenn die Wellen an die Bordwand schlagen. Auch nicht das Schwanken oder Schaukeln, das man unbedingt wahrnehmen müßte, denn im Mündungsstrom der Neuze herrscht durch die eindringende Flut immer eine gewisse Unruhe auf der Oberfläche des Wassers.

Eine andere Frage: Befindet sich der Raum, in dem ich eingesperrt bin, überhaupt auf einem Schiff? Wer sagt mir denn, daß ich irgendwo in der Neuze herumschwimme? Meine Fahrt in dem kleinen Boot hat zwar nur eine Minute gedauert. Aber dieses Boot konnte ja auch, statt mich an Bord irgendeines vor *Healthful House* ankernden

Schiffes zu bringen, an einer anderen Stelle wieder am Ufer angelegt haben?! In diesem Fall wäre ich nicht in einem Schiffsrumpf, sondern in eine Höhle versenkt worden! Das würde auch erklären, weshalb sich meine Behausung überhaupt nicht bewegt! Andrerseits sind die vernieteten Eisenplatten typisch für ein Schiff, und auch der penetrante Salzwassergeruch, den mit der Zeit alles annimmt, was in der See schwimmt, spricht dafür, daß ich mich auf einem Wasserfahrzeug befinde.

Seit meiner Einschließung mögen etwa vier Stunden vergangen sein. Demnach müßte es auf Mitternacht zugehen. Wird man mich bis zum Morgen hier unten lassen? Glücklicherweise hatte ich um sechs Uhr zu Abend gegessen, wie es in *Healthful House* die Regel war.

Hunger habe ich also noch keinen, dagegen überkommt mich ein unstillbares Verlangen nach Schlaf. Hoffentlich bringe ich die Energie auf, diesem Schlafbedürfnis zu widerstehen. Ich darf ihm auf gar keinen Fall nachgeben! Am besten, ich beschäftige mich mit dem, was jetzt draußen wohl vorgeht. Aber was das ist? Wo doch nicht einmal ein Lichtstrahl in diese Eisenkiste dringt!

Ich muß ständig auf der Lauer liegen: Vielleicht erreicht doch irgendein – sei es noch so schwaches – Geräusch mein Ohr? Ich muß jetzt meine ganze Kraft auf meine akustische Aufnahmefähigkeit konzentrieren. Denn ob ich nun auf dem festen Land bin oder nicht – irgendein Stoß, irgendein

Vibrieren muß einmal zu spüren sein. Und wenn ich tatsächlich auf einem Schiff bin, das noch vor Anker liegt, muß es jetzt bald Vorbereitungen zur Abfahrt treffen. Wenn nicht – wozu hätte man Thomas Roch und mich überhaupt entführt?

Endlich! – Und das ist keine Täuschung: Ein leichtes Wiegen gibt mir Gewißheit, daß ich auf See bin.

Kaum spürbar – dieses Schaukeln. Kein Stoßen, kein Rollen – eher ein glattes Dahingleiten im Wasser.

Jetzt muß ich kaltblütig überlegen: Ich bin an Bord eines in der Neuzemündung ankernden Schiffes, das unter Segel oder Dampf das Ergebnis der Entführung abgewartet hat. Das Beiboot hatte mich herübergebracht. Aber – ich wiederhole es – ich hatte keineswegs den Eindruck, als würde man mich über die Reling heben. Hatte man mich durch eine Rumpfklappe direkt in ein Schott gebracht? Es ist unwichtig! Ob man mich von oben heruntergelassen oder von der Seite eingeschoben hat – jedenfalls befinde ich mich in einem schwimmenden, beweglichen Behälter.

Sicher wird man mich bald wieder freilassen – ebenso wie Thomas Roch, sofern man ihn genauso eingesperrt hat wie mich. Unter Freiheit verstehe ich natürlich nur die Erlaubnis, mich auf Deck des Schiffes frei zu bewegen. Darauf werde ich allerdings noch ein paar Stunden warten müssen, denn man will ja vermeiden, daß wir entdeckt werden.

So werden wir also erst an die frische Luft kommen, wenn das Schiff die offene See erreicht hat.

Wenn es ein Segler ist, muß er die Brise abwarten, die sich bei Tagesanbruch vom Land her erhebt und die Durchfahrt durch den Pamplicosund begünstigt. Wenn es allerdings ein Dampfer ist –

Nein! An Bord eines jeden Dampfschiffes breiten sich unverkennbar all die Dünste aus – von Kohle und Schmieröl aus dem Heizraum und Maschinenraum, und die wären auch bis hierher gedrungen. Außerdem hätte ich das Mahlen der Schraube oder der Schaufel bemerkt, und auch das Zittern der Maschine und das Stoßen der Kolben wären mir nicht entgangen.

Ich muß jetzt ganz einfach Geduld haben. Vor morgen komme ich aus diesem Loch nicht heraus. Und wenn man mich bis dahin schon eingesperrt hält, wird man mir hoffentlich etwas zu essen bringen. Oder will man mich verhungern lassen? Dann hätte man sich alle Mühe sparen und mich gleich ins Wasser werfen können. – Nein, sobald wir erst einmal auf hoher See sind, hat keiner mehr was von mir zu befürchten. Ich könnte schreien, so laut ich wollte, mich beschweren, so viel ich Lust hätte, Vorwürfe machen, wem ich wollte.

Im übrigen – was bin ich schon für die Entführer? Ein kleiner Anstaltspfleger, ein unbekannter, unwichtiger Gaydon. Es geht um Thomas Roch – ihn haben sie aus *Healthful House* entführt! Mich haben sie nur nebenbei mitverschleppt, weil ich zufällig im unrechten Augenblick zum Pavillon zurückgekehrt bin.

Jedenfalls – wie es auch kommen mag, wer die Leute auch sein mögen, die das Unternehmen durchgeführt haben, und wohin immer sie mich auch bringen werden – mein Entschluß steht fest: Ich werde meine Rolle als Pfleger weiterspielen. Niemand, kein Mensch, wird je Verdacht schöpfen, daß sich unterm Rock Gaydons der Ingenieur Simon Hart verbirgt. Denn das hat einen doppelten Vorteil: Einmal wird ein armer Teufel von Krankenwärter keinem verdächtig scheinen, zum andern kann ich so vielleicht noch am ehesten dahinterkommen, was es mit dieser Entführungsgeschichte auf sich hat – und mich dann aus dem Staub machen.

Doch damit denke ich schon viel zu weit! Bevor ich fliehen kann, müssen wir erst einmal irgendwo angekommen sein. Bevor ich mich mit solchen Gedanken beschäftige, muß sich erst die Gelegenheit zeigen. Bis zu diesem Zeitpunkt ist wichtig, daß keiner erfährt, wer ich bin – und man wird es nicht erfahren!

Bisher ist eigentlich nur eines unbestritten: Wir sind ausgelaufen! Und dabei komme ich wieder auf meine erste Überlegung zurück – nein: Unser Schiff ist weder ein Dampfschiff, noch kann es ein Segler sein! Es wird – darüber herrscht kein Zweifel – von einem mächtigen Motor angetrieben.

Aber dann müßte man doch die eigentümlichen Geräusche hören, die für jede Dampfmaschine charakteristisch sind – sobald sie Schrauben oder Schaufeln antreibt! Dieses Fahrzeug wird aber keineswegs durch das Stampfen von Kolben erschüttert! Es kann sich nur um eine gleichmäßige Antriebskraft handeln, die irgendein mir unbekannter Mechanismus in Drehbewegung umsetzt – wahrscheinlich irgendeine Art von Rotation – oder was immer es sonst sein mag. Nein, da ist kein Zweifel möglich: Das Schiff wird durch eine geheimnisvolle Maschine fortbewegt – aber was ist das für eine Maschine?

Sollte es eine jener Turbinen sein, von denen man in letzter Zeit oft gehört hat – die, ins Innere einer Röhre versenkt, anstelle eines Kolbens die Schrauben antreiben und dabei den Widerstand des Wassers wirkungsvoller brechen und so eine höhere Geschwindigkeit ermöglichen?

Noch ein paar Stunden – und ich werde wissen, was ich von dieser eigentümlichen Antriebsmaschinerie zu halten habe, die meinem Schiff einen so gleichmäßig ruhigen Lauf gibt.

Das bleibt eben das Merkwürdige: daß von einem Rollen und Schlingern des Schiffes überhaupt nicht die Rede sein kann! Liegt denn der Pamplicosund heute glatt wie ein Spiegel unter uns? Allein die Gezeiten – Ebbe und Flut – genügen sonst, seine Oberfläche zu bewegen!

Aber vielleicht halten sich Ebbe und Flut gerade in diesem Augenblick die Waage – und ich erinnere mich, daß gestern abend die Brise abgeflaut war. – Unwichtig! Es ist und bleibt eine Tatsache, daß jedes Schiff, gleichgültig von welcher Kraft es angetrieben wird und mit welcher Geschwindigkeit es fährt, immer ein gewisses Schüttern spüren läßt – und eben davon ist hier nicht das Geringste zu bemerken.

Mein Kopf füllt sich mit den widerlichsten Ideen. Bleierne Müdigkeit legt sich auf mich, die stickige Luft quält mich fast zu Tode. Aber ich bin wild entschlossen, nicht aufzugeben. Ich werde wach bleiben bis zum kommenden Tag – und für mich wird es doch erst hell, wenn man öffnet und Licht hereinläßt! Vielleicht genügt es inzwischen schon nicht mehr, die Tür zu öffnen – vielleicht muß man mich schon aus diesem Loch herausziehen und an Deck tragen?!

Ich lehne mich in eine Ecke meines Verlieses, denn ich habe ja nicht einmal einen Hocker, um mich zu setzen. Ich kann meine Lider nicht mehr offenhalten – die Sucht zu schlafen legt sich über mich wie ein schweres Kissen – aber ich springe noch einmal auf. Ich werde wütend, ich hämmere gegen die Eisenplatten, ich rufe und brülle – vergebens! Meine Fingerknöchel schlagen sich an den Nieten wund – mein Geschrei hört keiner.

Und damit mache ich mich ja auch nur vor mir selber lächerlich! Da nimmt man sich vor, vernünftig zu bleiben – und kurz darauf verliert man schon die Nerven und führt sich auf wie ein kleines Kind!

Sicher ist jedenfalls, daß mein Schiff die offene See noch nicht erreicht hat, denn irgendein Rollen und Stampfen müßte sonst zu hören sein. Ist es vielleicht, statt hinein in den Pamplicosund, die Mündung der Neuze hinaufgefahren? Nein! – Keinem konnte es einfallen, uns ins Innere der Grafschaft zu verschleppen! Wenn man Thomas Roch schon von *Healthful House* entführt hatte, dann nur, um ihn auch aus dem Hoheitsbereich der Vereinigten Staaten zu schaffen – vielleicht auf irgendeine ferne Insel im Atlantik oder in irgendein Land der Alten Welt. – Nein, es ist nicht der ziemlich kurze Unterlauf der Neuze, den unser kurioses Schiff hinauffährt – wir schwimmen im Wasser des Pamplicosunds, das ausnahmsweise sehr ruhig ist.

Auch wieder unwichtig: Sobald es die See erreicht hat, wird es irgendwie reagieren müssen auf die Wellenbewegung, die auch bei schwächster Brise im Ozean jedes Schiff mittlerer Größe schlingern läßt. Es sei denn, ich befände mich an Bord eines Kreuzers oder Schlachtschiffes – doch das ist nun wirklich nicht anzunehmen!

In diesem Augenblick – scheint mir – tatsächlich – ich täusche mich bestimmt nicht – ein Geräusch vor meiner Tür – Schritte – Schritte jenseits der Eisenwand – auf der Türseite – zweifellos Leute der Besatzung – ob sie öffnen –? Ich lausche – ich

höre sie reden – aber ich verstehe nichts – sie sprechen eine Sprache, die ich nicht kenne – ich rufe wieder – ich schreie –: keine Antwort!

Ich muß also weiterhin warten, warten, warten! Ich wiederhole das Wort immer wieder, und es schlägt mir gegen den Schädel wie der Klöppel an die Glocke.

Ich versuche mir auszurechnen, wie lange ich schon hier unten bin.

Ich komme dabei auf etwa vier bis fünf Stunden, seit das Schiff angefangen hat, Fahrt zu machen. Mitternacht müßte eigentlich vorüber sein. Unglücklicherweise kann ich bei der absoluten Finsternis mit meiner Uhr nichts anfangen.

Wenn wir aber schon vier oder fünf Stunden unterwegs sind, haben wir den Pamplicosund längst passiert – entweder durch den Ocracoke-Inlet oder durch den Hatteras-Inlet. Muß ich also annehmen, daß wir eine gute Seemeile von der Küste weg auf dem offenen Meer sind. Und trotzdem kein Seegang, keine Dünung?

Es ist alles ebenso unerklärlich wie unwahrscheinlich. Oder das Ganze ist ein einziger großer Irrtum von meiner Seite. Vielleicht bin ich schon das Opfer von Halluzinationen geworden? Vielleicht sitze ich gar nicht in der Luke eines fahrenden Schiffes?

Noch eine Stunde verstreicht, und plötzlich hört das sanfte Vibrieren der Maschine auf. Das Schiff, das mich weggebracht hat, liegt völlig still. Ist es dort angekommen, wo es hin wollte? Das könnte nur einer der Häfen im Norden oder Süden des Pamplicosunds sein. Aber es wäre doch unsinnig, den mit Gewalt aus *Healthful House* entführten Thomas Roch auf dem nahen Festland abzusetzen!

Dieser Menschenraub müßte sich doch sehr bald herumsprechen, und die Entführer setzten sich hier sofort der Gefahr aus, von den Behörden der Union aufgespürt zu werden!

Übrigens – wenn das Schiff wirklich am Ziel angekommen ist, muß ich jetzt hören, wie die Ketten durch die Klüsen rasseln – und dann den Ruck spüren, wenn der Anker gefaßt hat und sich die Kette spannt. Das gibt einen plötzlichen Stoß, den ich kenne – das habe ich oft erlebt, und es kann nur noch Minuten dauern.

Ich warte – und ich lausche gespannt.

Nichts! – Nur düsteres, schauerliches Schweigen ringsum an Bord. Ich muß mich fragen, ob es auf diesem Schiff außer mir noch andere Lebewesen gibt.

Und allmählich spüre ich, wie mich eine seltsame Empfindungslosigkeit betäubt – wahrscheinlich geht mir buchstäblich die Luft aus. – Ich kann nicht mehr atmen. Auf meinem Brustkorb liegt ein tonnenschweres Gewicht, das ich nicht herunterwälzen kann.

Ich will bei Bewußtsein bleiben – ich kann nicht mehr. Hätte ich mich doch in eine Ecke gelegt und mir wenigstens die Jacke ausgezogen, als es so heiß wurde! – Die Lider werden mir schwer, schließen sich. Ich habe das Gefühl zu zerfallen, mich in einem tödlichen Schlaf aufzulösen. – –

– Wie lange habe ich geschlafen? Ich weiß es nicht. Ist es Tag oder Nacht? Ich kann es nicht sagen. Aber was ich sofort bemerke: Ich kann wieder atmen. Meine Lungen füllen sich mit Luft, die nicht mehr von Kohlensäure vergiftet ist.

Irgend jemand muß für frische Luft gesorgt haben, während ich schlief. Hat man die Tür geöffnet? War jemand bei mir – in meinem Loch?

Ja – da ist der Beweis!

Meine Hand berührt zufällig einen Gegenstand – ein mit wohlriechender Flüssigkeit gefülltes Gefäß. Ich führe es an die brennenden Lippen, denn mich quält ein solcher Durst, daß ich alles gegeben hätte um einen Schluck Brackwasser.

Es ist Ale – ein wunderbares Ale! Es erfrischt mich und muntert mich auf – und ich schlürfe eine ganze Pinte davon.

Und wenn man mich nicht zum Tod durch Verdursten verdammt hat, denke ich, wird man sicher auch nicht wollen, daß ich verhungere.

Nein – man hat auch einen Korb in die Ecke gestellt, er enthält eine Stange Brot und ein Stück kaltes Fleisch.

Ich esse – ich schlinge gierig, und allmählich komme ich wieder zu Kräften.

Ich bin also doch nicht so verlassen und verloren wie ich glaubte befürchten zu müssen. Man ist in mein dunkles Loch gekommen, und dabei drang durch die offene Tür von außen ein wenig Sauerstoff ein, ohne den ich wohl bald erstickt wäre. Und man hat mir alles hingestellt, was ich brauche, um – frisch gestärkt – auf die Stunde zu warten, da man mich nach oben lassen kann.

Wie lange wird meine Gefangenschaft hier unten noch dauern? Tage? Monate?

Leider kann ich nicht die Zeit abschätzen, die seit dem Einschlafen vergangen ist – und weiß auch nicht annähernd, wie spät es jetzt sein mag. Meine Uhr habe ich zwar aufgezogen, aber sie hat kein Repetierwerk. Vielleicht, wenn ich nach den Zeigern taste –? Ja, der kleine Zeiger scheint auf der Acht zu stehen – wahrscheinlich ist es Morgen.

Sicher bin ich mir jetzt eigentlich nur über eines –: daß das Schiff nicht mehr fährt. Es ist nicht die geringste Bewegung zu spüren und auch nicht der geringste Laut zu hören – ein Zeichen, daß auch die Maschine stillsteht.

So schleichen die Stunden – nicht enden wollende Stunden –, und ich frage mich schon, ob man bis zur nächsten Nacht warten wird, ehe man mich wieder aufsucht, um mein Gefängnis zu lüften und mich wieder zu versorgen, während ich schlafe. – Ja, wahrscheinlich will man erst wieder kommen, wenn ich schlafe!

Diesmal wird mich aber nichts davon abbringen, wach zu bleiben! Diesmal werde ich mich nicht gehen lassen! – Ich werde mich schlafend stellen, und wer dann auch immer kommen mag – ich werde ihn zur Antwort zwingen!

SECHSTES KAPITEL

AN DECK

Und da bin ich in der frischen Luft – und atme mit vollen Lungen! – Endlich hat man mich aus diesem stickigen Eisensarg herausgeholt und an Deck geführt!

Mein erster Blick sucht ringsum den Horizont ab – und kann nichts entdecken als die unendliche Kreislinie, die Himmel und Wasser scheidet.

Nein: Im Westen, wo sich die Küste des amerikanischen Kontinents Tausende von Meilen hinziehen muß, ist keine Spur von Land zu sehen.

Es ist der Augenblick, wo die untergehende Sonne nur noch fast waagerechte Strahlen über die Wasserfläche des Ozeans wirft. Es muß um sechs Uhr am Abend sein. Ich werfe einen Blick auf meine Uhr – und habe mich nicht getäuscht: sechs Uhr und dreizehn Minuten!

Was war nun in der Nacht zum 16. Juni geschehen?

Wie ich schon sagte, wartete ich und hoffte, daß endlich jemand kommen und die Tür zu meinem Eisenverschlag öffnen möge. Ich war fest entschlossen, diesmal nicht einzuschlafen. Ich zweifelte nicht, daß es längst wieder Tag war – aber niemand ließ sich blicken. Die Vorräte, die man mir hingestellt hatte, waren aufgegessen. Ich hatte wieder

Hunger. Zum Glück keinen Durst, denn von dem Ale war noch etwas übrig.

Seit meinem Erwachen deutete leichtes Zittern im Rumpf des Schiffes darauf hin, daß es seine Fahrt wieder aufgenommen hatte. Vorher – seit dem gestrigen Abend – war es offenbar still in ruhigem Wasser gelegen – vielleicht in irgendeiner verlassenen Bucht, denn ich hatte nicht den typischen Stoß gespürt, den das Anspannen der Ankerkette auslöst.

Es war also sechs Uhr, als ich endlich Schritte hinter der Eisentür meines Gefängnisses vernahm. Würde man kommen? – Ja! Das Schloß knarrt, die Tür öffnet sich. Der Schein einer Schiffslaterne verscheucht die tiefe Dunkelheit, inmitten deren ich seit meiner Ankunft an Bord gelegen war.

Zwei Männer erschienen – ich hatte keine Zeit, sie mir genau anzuschauen. Die beiden Burschen packten mich an den Armen und schlangen mir ein dickes Tuch um den Kopf, so daß ich – wieder einmal – überhaupt nichts sehen konnte.

Was sollte diese Vorsichtsmaßnahme? Was hatte man diesmal mit mir vor? Ich versuchte, mich zu wehren – man drehte mir die Arme auf den Rükken. Ich wollte protestieren – man gab keine Antwort. – Sie redeten ein paar Worte miteinander, aber in einer Sprache, die ich nicht verstand und deren Herkunft ich mir auch nicht erklären konnte.

Offensichtlich machte man meinetwegen wenig

Umstände. Wozu auch? Ein Irrenwärter – was sollte man sich mit einem so unwichtigen Menschen abgeben? – Was nicht unbedingt heißen soll, daß man den Ingenieur Simon Hart besser behandelt hätte!

Immerhin wurde ich diesmal nicht geknebelt und auch nicht an Armen und Beinen gefesselt. Man begnügte sich, mich gut festzuhalten – und fliehen konnte ich ja ohnehin nicht.

Ich wurde also aus meinem Eisenkasten herausgezogen und in einen engen Durchgang gestoßen. Unter mir klang das Echo meiner Schritte über eiserne Treppen, die nach oben führten. Frische Luft schlägt mir ins Gesicht, und ich atme gierig durch das Stück Tuch hindurch.

Man hebt mich hoch – dann setzen mich die beiden Männer wieder auf einen Fußboden – und diesmal sind das keine Eisenplatten, sondern es muß das Deck eines Schiffes sein.

Die Arme, die mich festhielten, lassen los. Ich kann mich frei bewegen. Als erstes reiße ich mir das Tuch vom Kopf und schaue mich um.

Ich bin an Bord einer Goélette in voller Fahrt – das Kielwasser hinterläßt einen langen weißen Schweif.

Ich muß mich an einer der Wanten festhalten, um nicht das Gleichgewicht zu verlieren – so sehr blendet mich die plötzliche Helligkeit nach meinem achtundvierzigstündigen Aufenthalt in absoluter Finsternis.

Auf Deck laufen ungefähr zehn Matrosen hin und her. Es sind grobe Visagen – ganz undurchsichtige Typen, ich könnte nicht einmal sagen welcher Rasse. Übrigens beachten sie mich kaum.

Die Goélette hat nach meiner Schätzung zweihundertfünfzig bis dreihundert Tonnen Wasserverdrängung. Ihr schnittiger Rumpf, ihre hohen, starken Masten und die enorme Segelfläche müssen ihr unter gutem Wind eine beachtliche Geschwindigkeit verleihen.

Hinten steht ein Mann mit sonnenverbranntem Gesicht am Steuerruder. Seine Hand an den Griffen des mächtigen Rades hält die Goélette auf strengem Kurs.

Ich wüßte gern den Namen dieses Seglers, der eine Luxusjacht zu sein scheint. Steht er neben dem Bug oder am Stern?

Ich gehe hin zu einem der Matrosen und frage:

»Wie heißt euer Schiff?«

Keine Antwort – ich darf annehmen, daß dieser Mensch mich gar nicht versteht. Trotzdem versuche ich es noch einmal und füge hinzu:

»Wo ist denn euer Käpten?«

Der Matrose antwortet mir auf diese Frage ebenso wenig wie auf die erste.

Ich gehe zum Vorderschiff.

Hier hängt, überm Gestell der Winde, die Schiffsglocke. Vielleicht ist in ihre Bronze der Name eingraviert – der Name der Goélette.

Kein Name.

Ich gehe wieder zurück aufs Heck und richte meine Frage an den Mann, der das Ruder führt.

Der wirft mir aber nur einen nicht übertrieben freundlichen Blick zu, hebt die Schultern und stemmt sich gegen sein Rad, da die Goélette in diesem Augenblick heftig gegen Backbord ausscheren will.

Eigentlich sollte ich jetzt erst einmal auskundschaften, wo Thomas Roch steckt. Sehen konnte ich ihn noch nirgends. Vielleicht ist er gar nicht an Bord? Aber das wäre unerklärlich. Zu welchem Zweck sollte man nur den Pfleger Gaydon aus *Healthful House* entführt haben? Niemand hatte den geringsten Verdacht, daß ich der Ingenieur Simon Hart war. Und selbst wenn man es gewußt hätte – wer würde sich schon für meine Person interessieren – was konnte man sich von mir versprechen?

Nun – da Thomas Roch nicht an Deck ist, kann ich mir nur vorstellen, daß er auch eingesperrt wurde. Und ich möchte ihm nur wünschen, daß man ihn dabei etwas besser behandelt hat als seinen ehemaligen Pfleger.

Aber wie zum Teufel – diese Idee kommt mir ganz unvermittelt: Wie bewegt sich diese Goélette denn überhaupt fort? Sämtliche Segel eingezogen – kein Tuch gespannt, ziemliche Flaute – nur ab und zu ein schwacher Windstoß, aber von Osten – das heißt von vorn!

Wir fahren mit größter Geschwindigkeit gegen

den Wind! Die Goélette, die Nase hoch überm Wasser, zeichnet mit rauschendem Kiel ihren Weg. Bis weit zurück kann ich das Band des wirbelnden Kielwassers verfolgen.

Dann ist dieses Schiff also doch eine Dampfjacht? – Unmöglich! Zwischen Haupt- und Fockmast ist nirgends auch nur die Andeutung eines Schornsteins zu sehen!

Oder wird dieses Schiff am Ende durch Elektrizität betrieben? Sind es Batterien oder Akkumulatoren, die ihm eine so beachtliche Geschwindigkeit verleihen?

Anders kann ich mir ein solches System der Fortbewegung nicht erklären. Aber wenn die Antriebskraft, gleichgültig wie diese beschaffen beziehungsweise wie deren Ursprung sein mag, sich auf eine Schiffsschraube überträgt – und das muß sie ja letztlich – dann muß ich diese Schraube beziehungsweise ihren Effekt auch sehen können!

Ich beuge mich an Heck über die Reling. Der Mann am Ruder läßt es ruhig geschehen und wirft mir dabei nur einen spöttischen Blick zu.

Ich beuge mich noch weiter hinaus.

Nicht die geringste Andeutung von einem Wasserwirbel, wie sie das Rotieren einer jeden Schiffsschraube erzeugt! – Nur das Kielwasser, dessen glatter, schmaler Schaumteppich sich drei oder vier Kabellängen hinterm Schiff aufzulösen beginnt. Es ist die Spur eines schmalen, starken Seglers.

Eines Seglers ohne Segel! Was ist das für eine Kraft, die die Goélette mit solcher Geschwindigkeit vorantreibt? Ich sagte schon, der Wind steht ihr eher entgegen – wenn auch nur so schwach, daß die langen Wellenberge nicht einmal Schaumkronen aufwerfen.

Irgendwann muß ich das herausfinden – und ohne daß sich jemand um mich kümmert, gehe ich zum Vorderschiff zurück.

Ich schlendere eben an der Treppenkappe vorbei, da sehe ich einen Menschen, dessen Gesicht mir bekannt vorkommt. Aufs Geländer gestützt, läßt er mich herankommen und schaut mich an. Er scheint darauf zu warten, daß ich ihn anspreche.

Ich erinnere mich wieder: Es ist der Mann, der den Grafen d'Artigas bei dessen Besuch in *Healthful House* begleitete. – Ja, das ist er – zweifellos.

Dann kann es also nur der vornehme Fremde sein, der Thomas Roch entführt hat – und ich befinde mich an Bord der *Ebba*, seiner Jacht, die jeder kennt, der in den Gewässern vor dem östlichen Amerika zu tun hat!

Endlich: Dieser Mann wird mir die Auskünfte geben, die er mir schuldig ist! – Ich entsinne mich, daß sich Graf d'Artigas mit ihm in englischer Sprache unterhielt. Also muß er mich verstehen – und antworten.

Wenn mich nicht alles täuscht, ist es der Kapitän der Goélette *Ebba*.

»Kapitän«, so fange ich an, »ich habe Sie in *Healthful House* gesehen. Erkennen Sie mich wieder?«

Er schaut mich von Kopf bis zu den Füßen an und denkt nicht daran zu antworten.

»Ich bin der Pfleger Gaydon«, fahre ich fort, »der Wärter von Thomas Roch. Und ich möchte

wissen, warum Sie mich entführt und an Bord dieser Goélette gebracht haben –«

Der Kapitän schneidet mir das Wort ab – mit einer Geste, die jedoch nicht mir gilt, sondern einigen Matrosen, die am Vorderkastell herumlümmeln.

Die springen hoch, packen mich wieder unter den Armen – und schleppen mich die Treppe zu den Mannschaftsräumen hinunter, ohne daß ihnen meine aufkommende Wut den geringsten Eindruck macht.

Diese Treppe ist eigentlich eine senkrecht an der Wand befestigte eiserne Sprossenleiter. Unten ist ein Absatz und ringsum Türen zum Mannschaftslogis, zur Kajüte des Kapitäns und zu mehreren anstoßenden Kabinen.

Wird man mich wieder in den untersten Rumpf werfen – in das finstere Loch, in dem ich bisher gehaust habe?

Man schiebt mich nach links in eine Kabine hinein, die durch ein offenes Bullauge Licht und frische Luft bekommt. Die Einrichtung der Kajüte besteht aus einer Pritsche mit Bettzeug, einem Tisch, einem Sessel, einer Waschkommode und einem Schrank.

Auf dem Tisch ist für mich gedeckt. Ich brauche nur Platz zu nehmen – ein Küchenjunge ist dabei, mir eine Mahlzeit aufzutischen. Sowie er gehen will, richte ich eine Frage an ihn.

Aber auch er bleibt stumm, der kleine Negerboy – wahrscheinlich versteht er mich so wenig wie die übrige Besatzung.

Er verschließt die Tür von außen, und ich nehme mit großem Appetit meine erste ordentliche Mahlzeit ein. Ich will mir vorerst keine Sorgen mehr machen – über Probleme, die sich mit der Zeit von selber lösen müssen.

Natürlich bin ich jetzt wieder eingesperrt, doch diesmal schon unter Bedingungen, die unendlich komfortabler sind als bisher – und ich kann nur hoffen, daß es weiter so bleiben wird, bis wir dort ankommen, wo wir hin wollen.

Und da stellen sich schon wieder alle möglichen Überlegungen ein – und die erste davon ist: Graf d'Artigas war es also, der diese Entführung angezettelt hat! Er hat den Menschenraub des Thomas Roch durchführen lassen! Und es ist jetzt auch völlig sicher, daß der französische Erfinder an Bord der *Ebba* in einer zumindest ebenso bequemen Kajüte wie ich selber untergebracht ist.

Wer ist nun dieser Graf d'Artigas? Wo kam dieser fremde Gentleman her? Warum hat er sich Thomas Roch ausliefern lassen? Wird er alles daransetzen, hinter das Geheimnis seines Fulgurators zu kommen – koste es, was es wolle? – Wahrscheinlich. Jetzt muß ich noch stärker darauf achten, daß niemand meinen wirklichen Namen erfährt! Denn damit hätte ich jede Chance verloren, jemals wieder frei zu werden.

Es ist einfach zu viel, was ich nicht weiß – und unbedingt wissen sollte: die Herkunft dieses d'Artigas, seine Pläne, das Reiseziel der Goélette, ihren Heimathafen – und nicht zuletzt die unerklärliche Kraft, die sie – ohne Segel und ohne Schraube – mit einer Geschwindigkeit von mindestens zehn Meilen in der Stunde vorantreibt.

Schließlich, gegen Abend, dringt ein frischer

Luftzug durchs Bullauge in meine Kajüte. Ich schließe es mit den Flügelschrauben – und da man mir die Tür von außen verriegelt hat, ist es wohl das gescheiteste, ich lege mich auf mein Bett und lasse mich von dieser eigenartigen *Ebba* auf den Fluten des Atlantiks in Schlaf schaukeln.

Am nächsten Morgen stehe ich mit Tagesanbruch auf, wasche mich, ziehe mich an und warte.

Da kommt mir die Idee nachzuschauen, ob die Tür zu meiner Kajüte überhaupt noch verriegelt ist.

Nein, sie ist es nicht.

Ich stoße den Türflügel auf, ich klettere die eiserne Leiter hoch und bin wieder an Deck.

Hinten machen die Matrosen klar Schiff, bürsten und schrubben. Mitten unter ihnen stehen zwei Männer – der eine von ihnen ist der Kapitän – und reden miteinander. Der Kapitän zeigt keine Überraschung, als er mich sieht – aber er macht seinen Kollegen auf mich aufmerksam.

Der andere, den ich noch nie gesehen hatte, mag ungefähr fünfzig Jahre alt sein – mit schwarzem Bart und schwarzem Haar, durch das sich silberne Fäden ziehen. Sein Gesicht ist von einer gewissen ironischen Klugheit, sein Blick lebhaft, sein Ausdruck intelligent. Er weist deutlich klassische Züge auf – und ich zweifle nicht, daß er griechischer Abstammung ist – zudem spricht ihn der Kapitän der *Ebba* mit Serkö – Ingenieur Serkö – an.

Der Kapitän selbst nennt sich Spade – das hört

sich nach italienischer Herkunft an. Also ein Grieche, ein Italiener, eine aus allen Ecken des Globus zusammengewürfelte Mannschaft, angeheuert auf einer Goélette mit norwegischem Namen – die Mischung scheint mir mit Fug und Recht einigermaßen suspekt.

Und dieser Graf d'Artigas – mit dem spanischen Namen und dem halb asiatischen Aussehen – wo zum Teufel kommt er her?

Kapitän Spade und Ingenieur Serkö unterhalten sich leise. Der Kapitän schaut dabei zu dem Mann am Ruder hinüber, der sich aber nicht nach den vor ihm im Kompaßhäuschen befestigten Instrumenten zu richten scheint. Vielmehr folgt er den Anweisungen eines auf dem Vorderschiff postierten Matrosen, der ihm Handzeichen gibt, wenn er backbord oder steuerbord drehen soll.

Thomas Roch ist da – er steht überm Mannschaftsraum. – Er schaut übers unendliche Meer hin, auf dem rings um den Horizont nirgends Land zu sehen ist. Zwei Matrosen wurden ihm zugewiesen, sie behalten ihn fortwährend im Auge. Muß man von dem Irren nicht in jedem Augenblick alles befürchten? Sogar, daß er sich plötzlich kopfüber von Bord stürzt?

Ich bin neugierig, ob man mich hindern wird, mit meinem alten Pflegling Verbindung aufzunehmen.

Ich gehe zu ihm hin, Kapitän Spade und Ingenieur Serkö beobachten mich dabei.

Thomas Roch scheint mich nicht zu erkennen – oder er läßt es sich nicht anmerken – weder durch eine Bewegung noch durch eine Geste. Seine Augen träumen mit lebhaftem Glanz über die unendliche Wasserfläche hin. Er scheint glücklich, diese herrliche, von Salzwasserverdunstung geschwängerte Luft atmen zu dürfen – seine Brust dehnt sich in tiefen Zügen. Mit dieser an Sauerstoff überreichen Luft mischt sich das Licht einer gleißenden Sonne, die vom wolkenlosen Himmel sticht und in deren Strahlenbündel die Welt ihr morgendliches Bad nimmt.

Ist er sich seiner völlig veränderten Lage überhaupt bewußt? Oder erinnert er sich schon nicht mehr an *Healthful House* – an seinen Pavillon, in dem er gefangen war – und an seinen Pfleger Gaydon? Es ist sogar sehr wahrscheinlich. Die Vergangenheit scheint für ihn ausgelöscht – er lebt mitten im Augenblick.

Thomas Roch ist auch jetzt, auf Deck der *Ebba* – mitten auf hoher See – der gleiche Tagwandler geblieben, den ich fünfzehn Monate lang gepflegt hatte. Sein psychischer Zustand ist unverändert, seine Vernunft leuchtet nur auf, wenn man ihn auf seine Entdeckung hin anspricht. Graf d'Artigas weiß das. Er hat es im Verlauf seines Besuches erfahren. Und auf eben diese eigentümliche Konstellation gründet er seine Hoffnung, dem Erfinder irgendwann – früher oder später – sein Geheimnis zu stehlen. – Aber wie will er das anstellen?

»Thomas Roch!«

Meine Stimme erschreckt ihn. Er starrt mich einen Augenblick an, dann wendet er sich rasch von mir ab.

Ich fasse seine Hand, ich drücke sie – aber er entzieht sie mir heftig. Er geht von mir weg, ohne mich wiedererkannt zu haben – und verschwindet auf dem Hinterdeck, wo Ingenieur Serkö und Kapitän Spade immer noch beisammen stehen.

Hat er die Absicht, sich an einen dieser beiden Burschen zu wenden? Und falls sie ihn ansprechen, wird er ihnen antworten – er, der mit mir nichts mehr zu tun haben will?

Aber da hellt sich mit einemmal sein Gesicht auf, als würde es von einem Strahl erwachender Intelligenz getroffen: Sein Interesse gilt – das ist nicht zu bezweifeln – der eigenartigen Fortbewegung der Goélette.

Erst wandern seine Blicke an der Takelage der *Ebba* hoch, deren Segel eingezogen sind, dann schweifen sie erstaunt über die ruhige See.

Thomas Roch geht über die Laufbrücke nach Steuerbord, untersucht den Platz, wo der Schornstein stehen müßte, wenn die *Ebba* ein Dampfschoner wäre – ein Schornstein, aus dem es jetzt schwarz qualmen müßte!

Was also mir schon aufgefallen war, regt jetzt auch Thomas Roch auf. Was ich mir nicht erklären konnte, ist auch ihm ein Rätsel, und ebenso wie ich geht er nach dem Heck, weil er die Schraube sehen will.

Zu beiden Seiten schwimmt mit der Goélette eine Schar Delphine. Trotz ihrer eigenen Geschwindigkeit wird sie von diesen flinken Tieren leicht überholt. Sie tummeln sich an der Bordwand, überschlagen sich und spielen in ihrem natürlichen Element mit wunderbarer Leichtigkeit.

Thomas Roch hält sich nicht auf, sie zu bewundern. Er beugt sich weit über die Reling.

Aber da kommen schon Ingenieur Serkö und Kapitän Spade und halten ihn fest – sie fürchten, er könne über Bord gehen – und stellen ihn zurück auf Deck.

Dabei bemerke ich – und darin habe ich ja genug Erfahrung –, daß Thomas Roch sich mit dieser Entdeckung schon wieder übernommen hat. Er dreht sich um sich selbst, er gestikuliert, er stößt zusammenhanglose Sätze aus, die an niemanden gerichtet sind.

Es ist offensichtlich wieder der Beginn eines Anfalls – eines ähnlichen Anfalls, wie er ihn an seinem letzten Abend in *Healthful House* überkam – mit allen schlimmen Folgen. Man mußte sich jetzt um ihn kümmern, ihn hinunterbringen in seine Kabine. Vielleicht würde man mich dann holen. Denn nur bei mir hatte er ja die besondere Pflege, die er in solchen Fällen brauchte.

Ingenieur Serkö und Kapitän Spade lassen ihn unterdessen nicht aus den Augen. Wahrscheinlich wollen sie erst einmal abwarten und zusehen, was er jetzt tun wird. Er tut folgendes:

Zuerst läuft er zum Großmast und sucht vergebens nach aufgezogenen Segeln. Dann nimmt er den Mast in die Arme und versucht ihn herauszuziehen. Er rüttelt an der Nagelbank, als wolle er sie zertrümmern.

Schließlich gibt er auf – er sieht ein, der Großmast ist zu schwer. Da probiert er es mit dem Fockmast – ebenfalls vergeblich. Seine irrsinnige Enttäuschung steigert sich ins Maßlose. Unartikulierte Schreie und sinnloses Geschwätz wechseln sich ab.

Plötzlich wirft er sich gegen die Wanten an Backbord und krallt sich daran fest. Ich überlege, was er jetzt wohl vorhat. Ob er sich auf die Webeleinen schwingen und zu den Balken der Toppsegel hinaufklettern will? Wenn man nicht eingreift, muß man damit rechnen und daß er dann auf Deck stürzt oder von einer Schlingerbewegung ins Meer geschleudert wird!

Aber da gibt Kapitän Spade ein Zeichen: Matrosen kommen und reißen seinen Körper zurück. Aber seine in die Wanten gekrallten Hände können sie nicht lösen. Ich weiß, daß seine Kräfte während eines Anfalls übermenschlich sind. Oft mußte ich andere Wärter zu Hilfe holen, um mit ihm fertig zu werden.

Diesmal überwältigt die Mannschaft der Goélette – lauter bärenstarke Kerle – den armen Irren. Thomas Roch wird auf Deck gelegt, und einige Matrosen setzen sich ihm auf Arme und Beine.

Jetzt muß man ihn nur noch hinunterbringen in

seine Kabine und ihn dort in Ruhe lassen, bis der Anfall abklingt. Den Befehl dazu gibt ein Mann, der plötzlich hinter uns steht.

Ich wende mich um und erkenne ihn.

Es ist Graf d'Artigas – sein finsteres Gesicht, sein herrisches Auftreten – so wie ich ihn in *Healthful House* kennengelernt habe.

Ich schaue ihn an. Er ist mir – weiß Gott – eine Erklärung schuldig, und er wird sie mir geben!

»Mit welchem Recht, mein Herr –« frage ich.

»Mit dem Recht des Stärkeren«, antwortet Graf d'Artigas.

Und geht weg, während man Thomas Roch in seine Kabine hinunterträgt.

SIEBENTES KAPITEL

ZWEI TAGE AUF SEE

Wenn es die Umstände erfordern, werde ich dem Grafen d'Artigas vielleicht doch sagen, daß ich der Ingenieur Simon Hart bin. Wer weiß, ob er ihn nicht doch etwas anständiger behandelt als den Pfleger Gaydon? Jedenfalls muß ich an diese Möglichkeit denken. Tatsächlich gehe ich ja immer noch von der Überzeugung aus, daß der Eigentümer der *Ebba* den französischen Erfinder in der Hoffnung entführt hat, sich dessen Fulgurator Roch anzueignen, für den weder die Alte noch die Neue Welt den unsinnigen Preis zahlen wollte, den Thomas Roch gefordert hatte.

Für den Fall, daß er sein Geheimnis doch einmal ausplaudern sollte, wäre es natürlich günstig, ich hätte weiterhin freien Zutritt zu ihm und könnte ihn wie bisher pflegen und überwachen. Diese Chance muß ich mir immer offenhalten. Wer weiß, vielleicht habe ich hier sogar mehr Erfolg als in *Healthful House*?

Im Augenblick stellen sich mir zwei wichtige Fragen:

Erstens – wohin fährt die *Ebba*?

Zweitens – wer ist dieser Graf d'Artigas?

Das erste Problem dürfte sich spätestens in einigen Tagen aufklären – bei der enormen Geschwindigkeit, mit der diese phantastische Jacht durch die Fluten schießt – angetrieben von einem Motor, unter dem ich mir nichts vorstellen kann.

Ob ich die zweite Frage jemals werde lösen können, ist völlig ungewiß.

Zumindest glaube ich, daß dieser rätselhafte Mensch gute Gründe haben muß, seine Herkunft zu verschweigen – und ich fürchte, es wird schwierig sein, irgendwelche Anzeichen zu entdecken, die ihn überführen.

Graf d'Artigas spricht Englisch – davon konnte ich mich bei seinem Besuch vor dem Pavillon Nr. 17 überzeugen. Aber sein Akzent ist rauh und vibrierend, so wie man ihn bei nordischen Völkern nicht bemerkt. Es ist ein Tonfall, den ich auf meinen Reisen durch beide Welten nirgends vernommen habe – am ehesten noch in den malaiischen Gewässern, wo diese Sprache ähnlich hart akzentuiert wird. Dann sein warmer Teint, fast olivgrün, sogar in Kupfer hinüberspielend – sein krauses, ebenholzschwarzes Haar – sein Blick, der aus tiefliegenden Augäpfeln kommt und wie ein Speer aus unbewegten Pupillen schießt, sein mächtiger Wuchs, seine eckigen Schultern, seine muskulöse Gestalt, die auf enorme Körperkräfte schließen läßt – all das spricht dafür, daß er irgendeiner der fernöstlichen Rassen entstammt.

Für mich ist der Name d'Artigas ein Deckname – und so mag es auch mit seinem Grafentitel sein. Wenn auch seine Goélette eine norwegische Bezeichnung trägt, so ist er selbst ganz bestimmt kein Norweger. Er hat nichts an sich von einem Nordeuropäer – weder den ruhigen Ausdruck noch die blonden Haare noch den sanften Blick aus hellblauen Augen.

Wie dem auch sei, dieser Mann hat Thomas Roch entführt, und mich mit ihm – und sicher nicht zu einem guten Zweck.

Hat er nun im Auftrag einer fremden Macht gehandelt oder im eigenen Interesse? Will er Thomas Rochs Erfindung selber ausbeuten, und hätte er Möglichkeiten, eine solche Auswertung zu realisieren? Das ist die dritte Frage, auf die ich vorerst noch keine Antwort finde. Aber vielleicht kann ich von jetzt an genug sehen und hören, um der Lösung näher zu kommen, und dann fliehen – vorausgesetzt, eine Flucht wird mir jemals gelingen!

Die *Ebba* hielt ihren Kurs unter den rätselhaften Begleitumständen, die wir kennen. Ich darf auf Deck frei umhergehen, aber nur bis zu den vorderen Mannschaftsräumen, deren Einstiegluke am Fockmast das Vorderschiff abtrennt.

Ein einziges Mal versuchte ich, ganz nach vorn – zur Lagerung des Bugsprits – zu kommen. Denn dort hätte ich mich über die Reling beugen und beobachten können, wie der Vordersteven der Goélette das Wasser teilt. Aber da stürzten sich gleich zwei Matrosen auf mich, die offensichtlich entsprechende Instruktionen hatten, und einer schrie mich in holperigem, schlechtem Englisch an:

»Zurück! Zurück! Sie stehen uns hier im Weg!«

In welchem Weg? Kein Mensch tat irgend etwas!

Hatte man durchschaut, daß ich wahrscheinlich versuchen würde, etwas über den Motor zu erfahren, der die Goélette antrieb? Möglich – und Kapitän Spade, der den Vorfall beobachtet hatte, konnte sich wohl denken, daß mich die seltsame Art der Fortbewegung seines Schiffes beschäftigte. Denn selbst einem Anstaltspfleger mußte es ungewöhnlich vorkommen, daß ein Schiff ohne Schraube, Räder oder Segel so schnell fuhr. – Kurzum – aus diesem oder jenem Grund bleibt mir das Betreten des Vorderdecks verboten.

Gegen zehn Uhr frischt die Brise auf – eine sehr günstige Brise aus Nordwest, und Kapitän Spade gibt seinem Steuermann Anweisungen.

Und der – Trillerpfeife zwischen den Zähnen – läßt das große Segel hissen, dann die Klüver- und das Focksegel. Man könnte die Manöver auf einem Kriegsschiff nicht sauberer und disziplinierter durchführen!

Die *Ebba* neigt sich leicht gegen Backbord und steigert merklich ihre Geschwindigkeit. Da der Motor weiterläuft, bauschen sich die Segel nicht so auf, wie sie es tun würden, wenn die Goélette nur dem Wind ausgesetzt wäre. Trotzdem beschleunigt sie die Fahrt – dank einer steif gewordenen und andauernden Brise.

Der Himmel ist blau, die Wolken kommen von Westen und lösen sich im Zenit auf, das Meer glitzert unter der Spiegelung der Sonnenstrahlen.

Meine Absicht ist es, vor allem erst einmal zu erfahren, wohin die Reise geht. Ich war lange genug auf See, um die Geschwindigkeit eines Schiffes abschätzen zu können. Meiner Ansicht nach muß die der *Ebba* zwischen zehn und elf Meilen betragen. – Der Kurs, dem wir folgen, ist immer der gleiche. Ich kann das leicht kontrollieren, wenn ich in das Kompaßhäuschen schaue, hinter dem der Mann am Ruder steht. Denn der Bug der *Ebba* ist dem Pfleger Gaydon zwar verwehrt, nicht aber das Heck. Häufig kann ich einen Seitenblick auf den Kompaß werfen, dessen Nadel unverändert auf Osten – genauer gesagt Ostsüdost – steht. Wir segeln also quer über den Teil des Atlantischen Ozeans, der nach Westen hin von der Küste der Vereinigten Staaten von Amerika abgeschlossen wird.

Ich frische meine Erinnerungen auf: Was gibt es an Inseln und Inselgruppen, welche auf diesem Breitengrad zwischen der Alten und der Neuen Welt liegen?

Nordkarolina, das die Goélette vor achtundvierzig Stunden verlassen hat, wird vom fünfunddreißigsten Breitengrad durchschnitten. Und dieser Breitengrad muß – wenn ich nicht irre – in seiner Fortsetzung nach Osten etwa in der Höhe von Marokko auf das afrikanische Festland treffen. Dazwischen liegt die Inselgruppe der Azoren, etwa dreitausend Meilen vor der Küste Afrikas. Wäre es möglich, daß die *Ebba* diese Gruppe anlaufen wollte? Daß ihr Heimathafen sich auf einer dieser Inseln befände, die unter der Hoheit Portugals stehen? Nein – dieser Hypothese kann ich mich nicht anschließen.

Weit vor den Azoren, ebenfalls auf dem fünfunddreißigsten Breitengrad, aber nur zwölfhundert Kilometer entfernt, liegt die Gruppe der Bermudas. Diese Inseln sind englisches Hoheitsgebiet. Wenn Graf d'Artigas Thomas Roch wirklich im Auftrag einer fremden Macht entführt hat, scheint es mir weit plausibler, daß es sich bei dieser Großmacht um das Königreich Großbritannien und Irland handelt. Wie gesagt – immer unter der Voraussetzung, daß der Graf den Erfinder nicht auf eigene Faust entführt hat.

An diesem Tag ist Graf d'Artigas drei- oder viermal gekommen und hat sich am Heck in seinen Rohrstuhl gesetzt. Von diesem Platz aus kann er ringsum den Horizont beobachten, und das tut er mit großer Aufmerksamkeit. Sobald sich irgendwo ein fernes Segel oder eine Rauchfahne zeigt, schaut er ihr lange nach. Er benützt ein besonders lichtstarkes Marinefernglas. Ich darf hinzufügen, daß er meine Anwesenheit auf Deck zu bemerken nicht für angemessen hält.

Ab und zu trifft er sich mit Kapitän Spade, dann wechseln sie wenige Worte in einer Sprache, die ich nicht verstehe und auch nicht erkenne.

Mit Ingenieur Serkö unterhält sich der Besitzer der *Ebba* am liebsten; er scheint ihm persönlich am nächsten zu stehen. Er ist ein redseliger Mensch, weniger mürrisch und weniger verschlossen als seine Kumpane an Bord. Welche Funktion er eigentlich ausübt, weiß ich immer noch nicht. Ist er ein Freund des Grafen d'Artigas? Fährt er mit ihm über die Meere, weil er sich leisten kann, das beneidenswerte Leben eines reichen Jachtbesitzers zu teilen? Jedenfalls ist dieser Mensch der einzige, der mir – zwar kein Interesse, aber doch ein kleines bißchen Aufmerksamkeit entgegenbringt.

Thomas Roch habe ich an diesem Vormittag noch nicht gesehen. Wahrscheinlich ist er noch eingeschlossen in seiner Kabine. Sein Anfall vom Vor-

abend dürfte noch nicht völlig abgeklungen sein. Graf d'Artigas selbst bestätigt mir das: Gegen drei Uhr am Nachmittag will er wieder die Treppe hinuntersteigen – da wendet er sich um und winkt mich heran.

Ich weiß nicht, was er von mir will, dieser Graf d'Artigas. Aber ich weiß sehr wohl, was ich ihm zu sagen habe.

»Dauern diese Anfälle, unter denen Thomas Roch leidet, eigentlich lange?« so redet er mich in Englisch an.

»Manchmal achtundvierzig Stunden«, gebe ich zur Antwort.

»Was tut man dagegen?«

»Man läßt ihn in Ruhe, bis er einschläft. Die Nacht über erholt er sich, und am Morgen ist er wieder in seinem gewohnten lethargischen Zustand.«

»Schön, Wärter Gaydon – setzen Sie Ihren Pflegedienst weiter fort, genau wie in *Healthful House*, falls es notwendig wird.«

»Meinen Pflegedienst?«

»Ja – hier an Bord der Goélette, so lange, bis wir angekommen sind.«

»Angekommen – wo?«

»Dort, wo wir morgen nachmittag sein werden«, antwortet mir Graf d'Artigas.

Morgen, denke ich. Dann fahren wir also ganz bestimmt nicht zur afrikanischen Küste hinüber, nicht einmal zu den Azoren. Bleibt also nur noch die Vermutung, daß die *Ebba* die Bermudas anlaufen wird.

Graf d'Artigas setzt den Fuß auf die oberste Stufe der Kajütenleiter, und ich kann mich nicht mehr zurückhalten:

»Monsieur«, rede ich ihn an, »ich will jetzt wissen – ich habe das Recht zu wissen, wo ich bin – wo ich –«

»Hier, Wärter Gaydon, haben Sie überhaupt kein Recht! Beschränken Sie sich darauf zu antworten, wenn man Sie fragt!«

»Ich protestiere –!«

»Schön – protestieren Sie«, erwidert mir dieser unverschämte, arrogante Mensch und streift mich mit einem bösen Blick, steigt die Leiter zu seiner Kabine hinunter und läßt mich mit Ingenieur Serkö zurück. Der meint lächelnd: »An Ihrer Stelle würde ich aufgeben, Wärter Gaydon! Wenn man einmal in der Mühle ist –«

»– darf man wohl noch schreien, denke ich!«

»Wem nützt das, wenn keiner da ist, der Sie hört?«

»Man wird mich hören – später!«

»Später: Das ist lange hin! – Aber bitte – schreien Sie, wenn Sie Lust haben!«

Und mit diesem sarkastischen Rat überläßt mich Ingenieur Serkö wieder meinen Gedanken.

Gegen vier Uhr wird ein Schiff gemeldet. Es befindet sich noch etwa sechs Meilen östlich und hält auf uns zu. Es macht große Fahrt und wächst sichtlich. Schwärzliche Wolken qualmen aus seinen beiden Schornsteinen. Es ist ein Kriegsschiff. Ein schmaler Wimpel am Hauptmast, keine weiteren Flaggen. Ich glaube einen Kreuzer der Bundesmarine zu erkennen.

Ich frage mich, ob ihm die *Ebba* den üblichen Gruß hinüberwinken wird, denn wir kreuzen bald seinen Kurs.

Aber nein! In diesem Augenblick dreht die Goélette ab – mit der deutlich erkennbaren Absicht, dem Kreuzer auszuweichen.

Das wundert mich nun wieder gar nicht bei einer so zumindest suspekten Jacht. Das Erstaunliche daran ist nur, wie Kapitän Spade ein solches Manöver durchführen läßt!

Er begibt sich nämlich aufs Vorderdeck – in die Nähe der Winde. Dort stellt er sich vor einen Signalkasten, der Ähnlichkeit mit denen hat, über die auf einem Dampfer Befehle in den Maschinenraum übermittelt werden. Er drückt auf der Schalttafel einen Knopf.

Und die *Ebba* wechselt den Kurs um ein Viertel nach Südost. Die Mannschaft, offensichtlich an solche eigentümlichen Methoden gewöhnt, läßt langsam die Schoten der Segel nachschießen.

Da muß ›irgendeiner‹ Maschine ›irgendein‹ Befehl zugegangen sein, der die Goélette zu ihrer unerklärlichen Richtungsänderung zwang, angetrieben von ›irgendeinem‹ Motor, dessen System ich noch nicht kenne.

Infolge dieses Manövers entfernt sich natürlich die *Ebba* von dem Kreuzer, denn dieser setzt seinen Kurs unbeirrt fort. Warum sollte auch ein Kriegsschiff beidrehen – einer harmlosen Luxusjacht wegen?

Ganz anders verhält sich die *Ebba*, als sich gegen sechs Uhr durch den Ankerbalken backbord ein zweites Schiff zeigt. Diesmal weicht sie nicht aus – im Gegenteil.

Kapitän Spade gibt – wieder durch Knopfdruck – einen Befehl, und die Goélette dreht zurück nach Westen und folgt dem Schiff in dessen Kielwasser.

Eine Stunde später holen wir es ein und fahren kurz darauf neben ihm her – Entfernung etwa drei bis vier Meilen.

Inzwischen haben wir wieder völlige Flaute. Das andere Schiff, ein großer Dreimaster mit Fracht für Übersee, fängt an, seine Segel einzuholen. Es ist sinnlos, über Nacht mit dem Aufkommen einer Brise zu rechnen. Der Dreimaster wird also bei der ruhigen See morgen früh ganz bestimmt noch an der gleichen Stelle liegen. Die *Ebba* dagegen, von ihrem mysteriösen Motor getrieben, nähert sich dem Schiff.

Selbstverständlich hat auch Kapitän Spade das Einholen der Segel befohlen. Unterm Kommando von Steuermann Effrondat wurde dieses Manöver wieder mit der Exaktheit durchgeführt, die man nur bei Rennjachten bewundern kann.

Da fällt die Nacht ein, der Abstand zwischen den beiden Schiffen hat sich auf etwa eineinhalb Meilen verringert.

Kapitän Spade kommt auf mich zu, erreicht mich über der Steuerbordluke und schickt mich ohne viel Aufhebens hinunter in meine Kabine.

Ich muß gehorchen.

Als ich das Deck verlasse, fällt mir noch auf, daß der Steuermann keine Positionslichter setzen läßt, obwohl der Dreimaster seine längst aufgesteckt hat – grün entlang Steuerbord, rot entlang Backbord.

Für mich gibt es keinen Zweifel: Die Goélette will unbemerkt das andere Schiff überholen. Denn wir fahren zwar nur noch mit geringer Kraft, behalten aber den Kurs bei.

Ich schätze, daß die *Ebba* seit Sonnenaufgang mindestens zweihundert Meilen in Richtung Ost zurückgelegt hat.

Ich steige wieder hinunter in meine Kabine – und habe ein ungutes Gefühl.

Mein Abendessen steht auf dem Tisch. Aber ich bin unruhig und kann nur wenig essen. Ich lege mich hin und warte auf Schlaf, aber er will nicht kommen.

Diese bedrückende Stimmung hält zwei Stunden an. Die Stille wird nur gestört vom Zittern der Goélette, vom Plätschern des Wassers gegen die Bordwand, vom leichten Stoßen, wenn die *Ebba* schwankend auf die kleinen Wellen klatscht.

Ich werde heimgesucht von Erinnerungen an all die Erlebnisse der letzten beiden Tage und finde immer noch keinen Schlaf. Morgen nachmittag werden wir ankommen. Ab morgen werde ich meinen Pflegedienst an Thomas Roch wieder aufnehmen können, »falls das notwendig wird«, hat Graf d'Artigas gesagt.

Als ich zum erstenmal unten im Rumpf eingesperrt war, habe ich bemerkt, daß die Goélette in Richtung Pamplicosund auslief. Jetzt – es mag ungefähr nach zehn Minuten sein, spüre ich, wie wir anhalten – und liegenbleiben.

Warum denn? Als Kapitän Spade mich von Deck geschickt hat, war nirgends Land in Sicht. Und in unserer Fahrtrichtung zeigt die Karte nur die Bermudagruppe, aber mit Einbruch der Dunkelheit waren diese Inseln noch mindestens fünfzig oder sechzig Meilen voraus, und die Wachen konnten sie inzwischen unmöglich gesichtet und gemeldet haben.

Dabei hat die *Ebba* nicht nur ihre Fahrt aufgegeben, sondern sie liegt fast völlig still. Man spürt kaum noch ein schwaches, ganz gleichmäßiges und sanftes Schaukeln von einer Seite zur andern. Fast keine Dünung mehr. Und nicht den geringsten Wind auf dem unbewegten Wasser.

Seit ich hier unten bin, muß ich an den Frachter denken, der anderthalb Meilen neben uns lag. Wenn die Goélette sich in der gleichen Richtung weiter treiben ließ, muß sie ihn jetzt erreicht haben. Höchstens eine oder zwei Kabellängen können sie noch von ihm trennen. Dieser Dreimaster, den die Windstille seit Sonnenuntergang festhält, kann nicht nach Westen abgetrieben sein. Er liegt dicht neben uns – und wenn die Nacht klar wäre, könnte ich ihn durch das Bullauge sehen.

Ich überlege, ob das nicht vielleicht eine Chance für mich ist, die ich nützen sollte. Warum nicht einen Fluchtversuch wagen, wo doch die Aussichten, auf andere Weise wieder frei zu werden, im

Augenblick mehr als gering sind? – Leider kann ich nicht gut schwimmen. Aber wenn es mir gelänge, mit einer kleinen Boje unterm Arm über Bord zu springen, müßte ich eigentlich sehr bald den Dreimaster erreichen. Voraussetzung, ich käme an eine solche Boje heran, ohne daß mich die Wache dabei erwischen würde!

Zunächst muß ich so leise wie möglich aus meiner Kajüte schleichen und die Leiter hochklettern. – Ich höre keinen Laut – weder aus dem Mannschaftsraum noch von Deck der *Ebba*. Um diese Zeit scheint alles zu schlafen. Also – versuchen wir's!

Ich will meine Kajütentür öffnen: Sie ist von außen verschlossen. – Das hätte ich mir denken können! Gebe ich den Plan also auf, der ohnehin ebenso viel gegen wie für sich hatte!

Wenn ich nur endlich schlafen könnte! Ich bin zwar nicht körperlich erschöpft, aber völlig abgespannt. Ich sollte unbedingt eine Zeitlang all die widersprüchlichen Erlebnisse und Eindrücke in einem tiefen Schlummer ertränken können! – –

– Offenbar war ich jetzt doch eingeschlafen! Denn ich erwache von einem Geräusch – einem ungewöhnlichen Geräusch, wie ich es an Bord der Goélette noch nie gehört habe.

Das Bullauge liegt jetzt auf der Ostseite – die erste Dämmerung des neuen Tages läßt mich schon die Scheibe erkennen. Ich ziehe meine Uhr – es ist vier Uhr dreißig am Morgen.

Mein erster Gedanke ist – ob die *Ebba* inzwischen wieder ihre Fahrt aufgenommen hat?

Nein – bestimmt nicht, weder mit Motorkraft noch unter Segel. Das ginge nicht ohne die Stoßgeräusche, die ich genau kenne. Außerdem liegt das Wasser unterm allmählichen Aufgang der Sonne noch ebenso spiegelglatt wie gestern abend, als sie unterging. Vielleicht ist die *Ebba* ein Stück gefahren, während ich schlief – im Augenblick jedenfalls liegt sie still.

Der Lärm, von dem ich sprach, kommt von polterndem Laufen und Rennen an Deck. Die Leute dort müssen es eilig haben und – manche von ihnen – schwer beladen sein. Den gleichen Tumult höre ich unter meinem Fußboden, wo im Rumpf die Provianträume sind, zu denen die große Luke hinterm Fockmast hinunterführt. Und dann noch ein ganz anderes Geräusch, so, als ob die Goélette in ihrer ganzen Länge an irgendeinem festen Gegenstand scheuerte.

Sind das vielleicht Boote, die an der *Ebba* angelegt haben, um Waren zu laden oder zu entladen?

Aber es ist doch unmöglich, daß wir schon an unserm Bestimmungsort sind! Graf d'Artigas sagte, wir kämen in vierundzwanzig Stunden an. Und ich wiederhole: Gestern abend waren es noch fünfzig oder sechzig Meilen bis zum nächsten Land, der Bermudagruppe. Und daß wir nach Westen, zur amerikanischen Küste, zurückgefahren sind, ist bei der Entfernung noch weniger denkbar. Außerdem habe ich allen Grund anzunehmen, daß sich die Goélette während der ganzen Nacht überhaupt nicht bewegt hat. Bevor ich einschlief, stellte ich fest, daß sie stillag. Jetzt stelle ich fest, daß sie immer noch stilliegt.

Ich warte ungeduldig, daß man kommt und mich wieder nach oben läßt. Ich drücke ab und zu die Klinke, um mich zu überzeugen, daß die Tür noch von außen verschlossen ist. Warum läßt man mich nicht an Deck – es ist inzwischen doch heller Tag geworden – ich verstehe das nicht!

Eine Stunde verstreicht. Das Licht des frühen Morgens dringt durchs Bullauge. Ich schaue hinaus. Nebelschwaden ziehen übers Wasser, aber schon beginnen die ersten Sonnenstrahlen sie hochzuheben und aufzulösen.

Mindestens auf eine halbe Meile kann ich alles erkennen – der Dreimaster ist nicht da. Also muß er an Backbord der *Ebba* liegen – und das ist die mir abgewandte Seite.

Endlich das knarrende Geräusch, auf das ich warte: Der Schlüssel dreht sich im Schloß. Ich stoße die Tür auf, ich klettere die Eisentreppe hoch. Ich betrete das Deck in dem Augenblick, da die Matrosen die vordere Ladeluke zuschlagen.

Ich halte Ausschau nach Graf d'Artigas: Er ist nicht da – hat seine Kabine noch nicht verlassen.

Kapitän Spade und Ingenieur Serkö überwachen das Verzurren von großen Ballen, die sicher vom Laderaum heraufgeholt und aufs Hinterdeck geschafft worden waren. Diese Arbeiten erklären mir das Kommen und Gehen und alle anderen Geräusche, die mich während der Nacht so beunruhigt hatten. Offenbar war die Mannschaft damit beschäftigt, Waren für die Ausschiffung bereitzustellen.

Das heißt, wir sind bald am Ziel. Der Hafen kann nicht mehr weit sein, und vielleicht wird die Goélette schon in wenigen Stunden Anker werfen.

Na schön! – Und der Frachter, der die Nacht über backbord an unserer Seite lag? Er muß noch genau an der gleichen Stelle sein, denn seit Sonnenuntergang hat sich kein Wind erhoben.

Ich gehe backbord an die Reling und suche das Meer ab. Der Dreimaster ist verschwunden. Der Ozean liegt weit und leer – kein Segel am westlichen Horizont, auch nicht im Norden oder Süden.

Ich überlege. Die einzige Erklärung, die ich mir schließlich geben kann – wenn auch unter ernsthaftem Vorbehalt: Ich habe geschlafen und deshalb nicht bemerkt, wie die *Ebba* auch während der Nacht ihre Fahrt eine Zeitlang fortgesetzt hat. Der stilliegende Frachter ist natürlich zurückgeblieben und jetzt nicht mehr zu sehen.

Ist es wirklich so? Kapitän Spade zu fragen hätte keinen Zweck, nicht einmal Ingenieur Serkö daraufhin anzusprechen: Sie würdigten mich ja doch keiner Antwort!

Da geht Kapitän Spade auf den Signalapparat

zu und drückt einen der oberen Knöpfe. Fast augenblicklich ist ein deutlicher Ruck nach vorn zu spüren: Die *Ebba* nimmt wieder – mit eingerollten Segeln – ihre ungewöhnliche Fahrt nach Osten auf.

Zwei Stunden später steigt Graf d'Artigas aus der Treppenkappe seiner Kajüte und geht zu seinem gewohnten Platz an Backbord. Ingenieur Serkö und Kapitän Spade suchen ihn auf, sie wechseln einige Worte.

Alle drei führen ihre Marinegläser vors Auge und streifen den Horizont ab – von Südost nach Nordost.

Kein Wunder, wenn auch ich intensiv in diese Richtung beobachte – aber da ich kein Fernglas habe, kann ich natürlich nichts erkennen.

Nach dem Mittagessen sind wir alle wieder an Deck, außer Thomas Roch, der seine Kabine offenbar noch nicht verlassen kann oder darf.

Gegen ein Uhr dreißig wird von einem Matrosen, der auf den Kreuzbalken des Fockmasts geklettert war, Land gemeldet. Bei der Geschwindigkeit, mit der die *Ebba* darauf zufährt, muß auch ich bald mit bloßem Auge die ersten Konturen einer auftauchenden Küstenlinie erkennen.

Und tatsächlich: Zwei Stunden später breitet sich vor mir die schwache Silhouette einer mindestens acht Kilometer langen Insel aus, deren Profil sich nun von Minute zu Minute klarer abhebt. Es sind Gebirge – sie ragen steil aus dem Wasser. Über einem Kegelberg schwebt Rauch, der senkrecht hochsteigt.

Ein Vulkan in dieser Gegend? Dann kann das doch nur – – –?!

ACHTES KAPITEL

BACK CUP

So wie die Dinge liegen, hat die *Ebba* in diesem Teil des Atlantiks auf gar keine andere Gruppe als die der Bermudas stoßen können. Das ergibt sich aus der Entfernung von der amerikanischen Küste – und aus dem Kurs, dem wir seit dem Verlassen des Pamplicosunds gefolgt sind. Dieser Kurs war gleichbleibend Südsüdost, und die Entfernung betrug – nach unserer Geschwindigkeit berechnet – zwischen neunhundert und tausend Kilometer.

Die Goélette fährt immer noch mit voller Kraft. Graf d'Artigas und Ingenieur Serkö bleiben am Heck bei dem Mann am Ruder, Kapitän Spade übernimmt das Kommando auf dem Vorderdeck.

Oder werden wir dieses offensichtlich menschenleere Eiland vielleicht doch westlich liegenlassen und vorbeifahren?

Aber das ist unwahrscheinlich, denn wir haben genau den Tag – sogar die Stunde, wo die *Ebba* ihren Bestimmungshafen erreichen soll.

Und da verteilen sich auch schon alle Matrosen übers Deck, und Steuermann Effrondat gibt die Anweisungen für die bevorstehende Landung.

In zwei Stunden werde ich wissen, woran ich bin! Es wird die erste Antwort sein auf eine der

Fragen, die mich seit dem Auslaufen der Goélette aufs hohe Meer beschäftigen.

Aber es ist doch mehr als unwahrscheinlich, daß der Heimathafen der *Ebba* ausgerechnet auf einer der Bermudas liegt – mitten in englischem Hoheitsgebiet! Es sei denn, Graf d'Artigas hätte Thomas Roch auf Veranlassung und zugunsten Großbritanniens entführt – was aber ebenso wenig anzunehmen ist!

Es fällt mir auf, daß mich dieser verwunderliche Mensch jetzt zum erstenmal mit einem mehr oder weniger sonderbaren Blick mustert. Wenn er auch nicht ahnen kann, daß ich der Ingenieur Simon Hart bin, so muß er sich doch fragen, wie ich über dieses Abenteuer denke. Und wenn der Pfleger Gaydon auch nicht mehr ist als ein armer Teufel, dann muß sich dieser arme Teufel die gleichen Sorgen machen über das, was ihm jetzt bevorsteht, wie jeder beliebige Gentleman in seiner Situation – sogar dem Besitzer dieser sonderbaren Luxusjacht selber erginge das nicht anders. Und tatsächlich – sein bohrender Blick fängt an, mich zu irritieren.

Ein Glück, daß er nicht erraten kann, worüber mir beim Anblick der Insel ein Licht aufging. Wer weiß, ob er mich nicht sofort hätte über Bord werfen lassen!

Die Vorsicht verlangt von mir, daß ich in Zukunft noch mißtrauischer bin als bisher.

Jedenfalls wurde für mich der Vorhang um einen kleinen Zipfel zurückgeschlagen – und ohne daß ich dabei irgendeinen Verdacht geweckt hätte, nicht einmal bei dem raffinierten Spürhund Serkö. Ein schwacher Hoffnungsschimmer für die Zukunft tut sich vor mir auf.

Mit dem Anlaufen der *Ebba* haben sich die Umrisse dieser Insel – richtiger gesagt des Eilands –, auf das sie zusteuert, am hellen Horizont immer deutlicher abgezeichnet. Die Sonne, die den Zenit schon überschritten hat, taucht die Westküsten in glänzendes Licht. Das Eiland liegt ganz allein, wenigstens finde ich weder im Norden noch im Süden eine Gruppe, an die es anschließt. Mit schwindendem Abstand wird es immer größer, der Horizont dahinter versinkt.

Das seltsam aufgetürmte Massiv hat ziemlich genau die Form einer umgestülpten Tasse, aus deren Boden Rauchwirbel empordampfen. Sein Gipfel – man kann sagen der Boden der Tasse – hebt sich ungefähr hundert Meter über den Meeresspiegel, und seine Abhänge sind ringsum gleichmäßig steil und scheinen so kahl wie unten die Felsbrocken, gegen die eine donnernde Brandung anläuft.

Eine Besonderheit läßt jeden vom Westen kommenden Kapitän das Eiland sofort erkennen – und das ist ein Felstunnel. Dieser Gesteinsbogen formt den Henkel der Tasse. Er läßt die Wogen wirbelnd durchströmen und die Strahlen der Sonne durchscheinen, wenn sich ihre Scheibe über den östlichen Horizont hebt. – So rechtfertigt die-

ser Felskegel den Namen *Back Cup*, den man ihm gegeben hat, in vollem Umfang.

Und ich kenne dieses Eiland – ich erkenne es wieder! Es liegt noch vor dem Bermuda-Archipel. Es ist die ›umgestülpte Tasse‹, die ich vor einigen

Jahren aufzusuchen Gelegenheit hatte. Nein, ich täusche mich nicht: Damals hat mein Fuß diese Kalkfelsen betreten, war unten an der Ostseite ein Stückchen darin herumgeklettert. – Ja, das ist *Back Cup*!

Ich muß mich ordentlich zusammennehmen, um nicht einen Ruf der Überraschung und Befriedigung auszustoßen – denn das hätte Graf d'Artigas zu Recht mißtrauisch gemacht.

Doch jetzt darf ich kurz schildern, wie ich während meines Aufenthalts auf den Bermudas *Back Cup* kennenlernte.

Der etwa tausend Kilometer vor Nordkarolina liegende Archipel setzt sich aus zweihundert Inseln und Eilanden zusammen. In seiner Mitte kreuzt der vierundsechzigste Grad westlicher Länge den zweiunddreißigsten Grad nördlicher Breite. Seit dem Schiffbruch des Engländers Somers, der 1609 hier strandete, gehören die Bermudas zum Vereinigten Königreich. Seine Kolonialbevölkerung ist inzwischen auf zehntausend Seelen angewachsen.

England hat die Inselgruppe damals regelrecht ›gekapert‹. Dabei ging es ihm natürlich nicht um deren Erzeugnisse an Baumwolle, Kaffee, Indigo, Arrowroot usw., sondern um die Möglichkeit, sich vor den Toren Nordamerikas einen Marinestützpunkt zu verschaffen. Die Annektion vollzog sich ohne Einspruch fremder Mächte, und so werden die Bermudas heute noch von einem britischen

Gouverneur mit seinem Kollegium und seiner Generalversammlung verwaltet.

Die wenigen großen Inseln dieses Archipels sind Saint-David, Somerset, Hamilton und Saint-Georges. Saint-Georges hat einen Freihafen, und die gleichnamige Stadt ist auch die Hauptstadt der Gruppe. Die größte dieser Inseln ist nur fünfundzwanzig Kilometer lang und vier Kilometer breit. Und wenn man die Inseln mittlerer Größe abzieht, bleibt nur noch ein Konglomerat von Eilanden und Riffen, das über eine Fläche von fünfzig Quadratkilometern zerstreut liegt.

Das Klima der Bermudas ist mild und gesund, doch fegen heftige atlantische Winterstürme über die Insel. Deshalb ist es oft schwierig, irgendwo eine schützende Bucht zu finden.

Was dem Archipel gänzlich fehlt, sind Flüsse und Bäche. Dafür regnet es sehr oft und stark, und so hat man dem Wassermangel dadurch abgeholfen, daß man die Niederschläge auffängt – als Trinkwasser und für die Bewässerung der Kulturen. Gewaltige Zisternen mußten gebaut werden, die jetzt von den immer wiederkehrenden Platzregen mit unerschöpflicher Freigebigkeit fortlaufend aufgetankt werden. Diese schönen Zeugnisse menschlichen Erfindergeistes verdienen echte Bewunderung.

Und gerade der Wunsch, die Anlagen solcher Zisternen zu studieren, hatte mich damals zu meiner Reise hierher veranlaßt.

Ich ließ mir von der Gesellschaft in New Jersey, bei der ich als Ingenieur beschäftigt war, einige Wochen Urlaub geben, reiste ab nach New York und schiffte mich von dort nach den Bermudas ein.

Und da war es während meines Aufenthaltes auf der Insel Hamilton – ich wohnte am großen Hafenplatz –, als ein Naturereignis eintraf, das die Geologen aufs äußerste beunruhigen mußte.

Eines Tages sah man eine ganze Flottille von Fischerbooten mit Männern, Frauen und Kindern einlaufen. Alle suchten Schutz in Southampton-Harbour. Es waren lauter Leute, die in den letzten fünfzig Jahren am östlichen Uferstreifen von *Back Cup* gesiedelt hatten. Hier hatten sie ihre Holzhütten und sogar Häuser aus Stein erbaut.

Den Fischern ging es gut – sie konnten die Gründe ausbeuten, in denen es – wie überall um die Bermudas – in den Monaten März und April auch von Pottwalen nur so wimmelte.

Nichts hatte die Ruhe und die Arbeit der Fischer bisher gestört. Sie waren zufrieden mit ihrem anstrengenden Leben, das durch die Nähe des leicht zu erreichenden Hamilton und Saint-Georges ein bißchen erträglicher wurde. Ihre robusten, als Kutter getakelten Schiffe führten Fische aus und dafür alles ein, was sie zum Lebensunterhalt brauchten.

Warum also hatten sie ihre Hütten und Fischgründe im Stich gelassen und wollten auch – wie sich bald herausstellte – nicht wieder zurück? Der

Grund war sehr plausibel: Sie fühlten sich nicht mehr sicher wie bisher.

Vor zwei Monaten waren diese Menschen nämlich zum erstenmal überrascht und aufgeschreckt worden, als sie aus dem Innern von *Back Cup* dumpfe Detonationen hörten. Gleichzeitig hüllte sich der Gipfel des Kegels – der Boden der Tasse sozusagen – in Rauch und Flammen. Daß dieser Felsblock vulkanischen Ursprungs war und sein eingebrochener oberer Teil ein Krater, hatte niemand vermutet, denn seine Abhänge fielen so steil und schroff in die See, daß kein Mensch hätte daran hochklettern können. Jetzt stand es freilich außer Zweifel: *Back Cup* war ein alter Vulkan, der die Ansiedlung an seiner Ostküste mit einem nahe bevorstehenden Ausbruch bedrohte.

Und jetzt nahm das Tosen im Innern des Berges zwei Monate lang mit jedem Tag zu. Es kam schon zu Eruptionen, die das Eiland durch und durch erschütterten; aus dem Gipfel schossen, hauptsächlich in der Nacht, unter rollendem Donner Feuersäulen hoch – kurz, die Anzeichen intensiver vulkanischer Tätigkeit häuften sich so sehr, daß man jeden Augenblick mit dem endgültigen Ausbruch des Vulkans rechnen mußte.

Natürlich wartete man die drohende Katastrophe nicht ab, denn der schmale Uferstreifen an der Ostseite bot nicht einmal Schutz gegen etwaige Lavaströme – und es konnte ja sogar der ganze Berg explodieren!

Die Fischer zögerten nicht länger und machten sich davon. Schafften Hab und Gut auf ihre Barken und fuhren mit Kind und Kegel ab nach Southampton-Harbour, in den sicheren Hafen.

Auf den Bermudas erschrak man nicht wenig über die Hiobsbotschaft, daß ein seit Jahrhunderten erloschener Vulkan am Westende des Archipels zu neuer Tätigkeit erwacht sei. Doch während die einen sich bekreuzigten, wurden andere neugierig. Und ich gehörte zur Gruppe der Neugierigen. Schließlich lohnte es sich doch, diesem Phänomen nachzugehen und dabei auch in Erfahrung zu bringen, wie weit die Fischer die Gefährlichkeit dieser Sache übertrieben hatten.

Back Cup, das als riesiger Felsblock westlich der Hauptgruppe aus dem Meer ragt, steht mit dem übrigen Archipel nur durch eine regellose Kette von unzugänglichen Inselchen und Klippen in Verbindung. Da der Fels nur etwa hundert Meter hoch ist, kann man ihn weder von Saint-Georges noch von Hamilton aus sehen.

Ein Kutter brachte uns, einige Geologen und mich, von Southampton-Harbour aus nach dem Uferstreifen, auf dem noch die verlassenen Hütten der bermudischen Fischer standen.

Das Krachen im Innern des Berges war immer noch deutlich zu hören, und aus dem Krater wirbelte eine Dampfwolke.

Auch für uns gab es nun keinen Zweifel mehr: Der alte Vulkan von *Back Cup* hatte sich am inneren Feuer der Erdkugel wieder entzündet. Man mußte von einem Tag auf den anderen befürchten, daß es zu einer gewaltigen Eruption kommen würde – mit allen verheerenden Folgen.

Vergeblich versuchten wir, den Krater des Vulkans zu erreichen. Der Aufstieg erwies sich als undurchführbar, denn die steilen, glatten und schlüpfrigen Hänge, die im Winkel bis zu achtzig Grad anstiegen, boten beim Klettern keinen Halt. Nie hatte ich etwas Trostloseres gesehen als diese Felswände, auf denen nur an einzelnen Stellen, wo sich eine karge Humusschicht gebildet hatte, ein bißchen dürftiger Klee wucherte.

Nach vielen vergeblichen Versuchen wollten wir wenigstens unten um das Eiland herumwandern. Doch es war nur begehbar, wo die Fischerhütten standen – überall sonst, im Norden, Süden und Westen, lagen zu viele abgestürzte Felstrümmer.

Unsere Erforschung von *Back Cup* beschränkte sich also auf einen sehr oberflächlichen Besuch. Immerhin – wenn man den Qualm und die Flammen sah, die aus dem Krater schossen, und das dumpfe Brüllen hörte, das – vermischt mit gelegentlichen Detonationen – das ganze Gefüge des Felsblocks durcheinanderschüttelte, dann konnte man nur bestätigen: Die Fischer hatten gut daran getan, diesem Hexenhut den Rücken zu kehren.

Das waren die Umstände gewesen, die mich damals zu einer Exkursion nach *Back Cup* veranlaßt hatten. Und es ist kein Wunder, daß auch ich der

Insel die Bezeichnung ›umgestülpte Tasse‹ zuerkannte und dieses seltsame Gebilde fest in Erinnerung behielt.

Doch darf ich wiederholen: Dem Grafen d'Artigas wäre es bestimmt unangenehm gewesen, daß der Wärter Gaydon dieses Eiland wiedererkannte, zumindest für den Fall, daß die *Ebba* hier vor Anker gehen sollte – was mir allerdings sehr unwahrscheinlich vorkam, denn einen Hafen gibt es ja nicht!

Die Goélette nähert sich von Osten, und ich schaue mir das Fischerdorf von *Back Cup* an, das die Bewohner damals fluchtartig verließen und wohin sie nicht mehr zurückkehren wollten. Ich kann mir nicht erklären, was die *Ebba* hier soll.

Oder Graf d'Artigas hat gar nicht die Absicht, mit seinen Kumpanen an Land zu gehen? Selbst wenn die Goélette irgendwo zwischen den Felsen eine Bucht fände, in der sie vorübergehend bleiben könnte – wie sollte ein reicher Jachtbesitzer auf die Idee kommen, auf diesem kahlen Felsblock, an dem die westatlantischen Springfluten hochschäumen, sein Domizil aufzuschlagen?

Hier zu leben – das ist etwas für wetterharte Fischer, aber nicht für Graf d'Artigas, Ingenieur Serkö und Kapitän Spade mit seiner Mannschaft.

Noch eine halbe Meile bis *Back Cup*. Es bietet nicht den freundlichen Anblick der andern Inseln dieser Gruppe – mit dem saftigen Grün ihrer Hügel. Hier wurzeln in einzelnen Felsenrissen kaum ein paar dürftige Wacholderstauden und wenige magere, verkrüppelte Zedern, die ja den Hauptreichtum der Bermudas bilden. Dagegen sind die zahllosen Steinbrocken am Strand von einer dicken Schicht von Tang und Seegras überzogen, die von den anlaufenden Wellen hergeschwemmt wurden, oder auch mit fadenförmigen Pflanzen bedeckt – mit unzähligen Sargassos vom Meer, das ja diesen Namen trägt. Es dehnt sich zwischen den Kanarischen Inseln und Kap Verde, und aus dieser Richtung werden von der Flut ungeheure Mengen jener seltsamen Unterwasserpflanzen auf die Klippen von *Back Cup* geworfen.

An Lebewesen gibt es auf dieser einsamen Insel nur wenige Vogelarten – Dompfaffen, ›mota cyllas cyalis‹, mit bläulichem Gefieder. Und ungeheure Schwärme von Möwen und Seeschwalben streichen aufgeregt durch die wirbelnden Dämpfe des Kraters.

Wir sind nur noch zwei Kabellängen vom Ufer entfernt, und die Goélette geht auf halbe Fahrt. Dann stoppt sie buchstäblich ab. Sie liegt am Eingang eines Fjords, welcher sich mitten durch viele Felsen zieht, die kaum aus dem Wasser schauen.

Die *Ebba* wird sich doch nicht in dieses gefährliche Labyrinth hineinwagen?

Nein! Am wahrscheinlichsten ist wohl die Annahme, daß sie hier einige Stunden bleiben wird – warum, weiß ich nicht – und dann ihre Fahrt nach Osten fortsetzt.

Jedenfalls bemerke ich keine Vorbereitungen zum Werfen der Anker. Sie liegen fest verzurrt auf ihren Kranbalken. Auch die Ketten sind nicht aufgewickelt – und die Mannschaft denkt nicht daran, Boote auszuhieven.

Da gehen Graf d'Artigas, Ingenieur Serkö und Kapitän Spade zum Vorderdeck – und nun geschieht einiges, was ich nicht begreife. Ich bin ebenfalls an Backbord der Reling entlang nach vorn gekommen – bis neben den Fockmast.

Und sehe, wie Matrosen beschäftigt sind, eine kleine Boje auf das Vorderdeck des Schiffes zu hissen.

Fast gleichzeitig trübt sich das an dieser Stelle sonst ganz klare Wasser – und mir scheint, als steige eine große schwarze Masse vom Grund zur Oberfläche auf. Ein mächtiger Pottwal, der auftaucht, um Atem zu schöpfen? Er könnte die *Ebba* mit einem einzigen Schlag seines gewaltigen Schwanzes eindrücken!

Aber nein – das ist –, jetzt wird mir auf einmal alles klar! Das ist also die Antriebskraft – der Motor, der unserer Goélette auch ohne Segel und ohne Schraube ihre enorme und gleichmäßige Geschwindigkeit verleiht!

Da taucht er auf – der unermüdliche Schlepper, nachdem er uns von der amerikanischen Küste bis zu den Bermudas hinter sich hergezogen hat! Da schwimmt er – an unserer Seite!

Ein versenkbares Fahrzeug, ein ›Untersee-

Schlepper‹, ein ›Tug‹: bewegt von einer Schraube, angetrieben von Akkumulatorenbatterien – oder jenen Elementsäulen, wie sie zurzeit überall in Gebrauch kommen.

Dieser *Tug* hat die Form einer langen Spindel aus Eisenblech. Auf der nun aus dem Wasser ragenden Oberfläche befindet sich eine schmale Plattform. In ihrer Mitte führt eine Luke in den Rumpf. Vorn steht ein Periskop – ein ›look out‹, dessen dick verglaste Seitenwände es erlauben, das Wasser in seiner Umgebung elektrisch anzustrahlen.

Der um seinen Wasserballast erleichterte *Tug* liegt jetzt an der Oberfläche. Gleich wird sich die Luke öffnen, und Frischluft kann ins Innere eindringen. Ich überlege, ob er vielleicht nur tagsüber unter Wasser bleibt und uns bei Nacht wie ein gewöhnlicher Schlepper hinter sich hergezogen hat?

Und noch eine Frage: Wenn es elektrischer Strom ist, der den *Tug* antreibt, so muß ihm doch irgend etwas die Energie nachliefern, die er laufend verbraucht? Wo ist diese Quelle? Wo wird dieser Strom erzeugt? Doch nicht am Ende auf dem Eiland *Back Cup*?

Und wozu überhaupt dieser Unterseeschlepper für unsere Goélette? Warum führt sie ihre Maschine nicht im eigenen Rumpf mit wie alle andern Luxusjachten?

Ich habe im Augenblick keine Zeit, darüber nachzudenken – und es sind auch zu viele uner-

klärliche Dinge, die sich aus dieser neuen Entdeckung ergeben.

Der *Tug* liegt nun längsschiffs der *Ebba*. Die Luke hat sich geöffnet, mehrere Leute stehen auf der Plattform. Es ist die Mannschaft des Unterwasserbootes, mit dem Kapitän Spade durch den Signalapparat auf dem Vorderdeck immer in Verbindung stand. Denn durch das Drahtseil hing die Goélette ja am *Tug* – und von ihr aus hatte er seine Befehle und Kursbestimmungen empfangen.

Ingenieur Serkö kommt zu mir und sagt nur ein Wort:

»Einsteigen!«

»Einsteigen?« frage ich zurück.

»Ja – in den *Tug* – los!«

Wieder kann ich nichts tun, als diesen knappen Anweisungen zu gehorchen – und so klettere ich über die Reling.

Da kommt auch schon Thomas Roch an Deck – in Begleitung eines der Matrosen. Er scheint mir sehr ruhig, sehr gleichgültig – und widersetzt sich mit keinem Wort der Aufforderung, ebenfalls in den *Tug* hinunterzusteigen. Als er neben mir vor der Lukenöffnung steht, kommen auch Graf d'Artigas und Ingenieur Serkö.

Kapitän Spade und seine Mannschaft bleiben auf der Goélette zurück – nur vier Matrosen springen in das kleine Boot, das inzwischen ausgesetzt wurde. Sie ziehen eine lange Trosse nach, die wahrscheinlich die *Ebba* zwischen den Riffen hindurchziehen soll. Irgendwo zwischen den Felstrümmern scheint es also eine Bucht zu geben, die der Jacht des Grafen d'Artigas Schutz vor Sturm und hoher See bietet – also doch eine Art Heimathafen für die *Ebba*.

Die Goélette trennt sich vom *Tug*. Die Trosse, die sie mit dem Boot verbindet, wird straff. Man sieht, unser Schiff soll eine halbe Kabellänge weiter im Innern dieses Fjords an eisernen, in den

Stein geschlagenen Pfeilern vertäut werden, denn die Matrosen schleppen es langsam dorthin.

Fünf Minuten später ist die Goélette hinter einer Felsmasse verschwunden – und jetzt kann man von der See her nicht einmal ihre Mastspitzen entdecken.

Wer auf den Bermudas würde je vermuten, daß ein Schiff in dieser gottverlassenen Bucht seinen Hafen hätte? Wer in Amerika käme auf die Idee, daß der reiche, an der ganzen Ostküste bekannte Jachtbesitzer sein Refugium zwischen den nackten Felsen von *Back Cup* aufschlug?

Nach zwanzig Minuten kommt das Boot wieder zurück zum *Tug* und bringt die vier Leute.

Es liegt auf der Hand, daß das Unterwasserfahrzeug auf sie wartete, um sie aufzunehmen und weiterzufahren. Wohin?

Das war die nächste Frage.

Und da steigen die Männer schon auf die Plattform, ihr Boot wird ins Schlepptau genommen, es schaukelt, die Schraube fängt zu rotieren an, und der *Tug* fährt südlich an den Riffen vorbei auf *Back Cup* zu.

Wenige Kabellängen neben dem ersten öffnet sich ein zweiter Fjord, der auch in das Eiland hineinführt und dessen Windungen der *Tug* folgt. Kurz – vielleicht ein Dutzend Faden – vor den Felsen halten wir an.

Zwei Mann bekommen Befehl, das Boot auf einen schmalen Sandstrand zu ziehen, von dem es

Wellen und Brandung nicht herunterspülen können und wo es im Notfall – oder wenn die *Ebba* wieder auslaufen soll – rasch flottgemacht werden kann.

Die beiden Matrosen erledigen das, kommen zurück – und Ingenieur Serkö schickt mich mit einer Handbewegung hinunter ins Innere des *Tug*.

Wenige Sprossen der Eisenleiter führen in einen Mittelraum, in dem verschiedene Kisten und Ballen liegen, durch die der Raum schon überfüllt ist. Deshalb bringt man mich in eine Seitenkabine und schließt die Tür hinter mir zu – und wieder einmal umgibt mich undurchdringliches Dunkel.

Schon beim Betreten habe ich diese Kabine wiedererkannt. Es ist der Eisenkasten, in dem ich nach der Entführung aus *Healthful House* so viele endlos scheinende Stunden verbringen mußte und aus dem man mich erst nach der Überquerung des Pamplicosunds befreit hat.

Sicher hat man Thomas Roch jetzt auch wieder in ein ähnliches Schott gesteckt!

Ich höre metallisches Geräusch: Die Luke wird geschlossen – der Apparat muß jetzt gleich tauchen.

Und da spüre ich schon eine gewisse Sinkbewegung, die wohl durch Füllen eines Wasserbehälters im *Tug* ermöglicht wird.

Dieser Bewegung folgt eine andere des Vorwärtstreibens – ich nehme an, das submarine Boot fährt jetzt unter Wasser.

Drei Minuten später stoppt es – und ich habe diesmal die Empfindung, als ob wir – wie ein Unterwasserballon – hochsteigen.

Und jetzt wieder das unverwechselbare erste Geräusch: Die Luke wird aufgeklappt.

Auch die Tür zu meiner Dunkelkammer geht auf – mit ein paar Sprüngen bin ich auf der Plattform.

Ich sehe mich um.

Der *Tug* liegt mitten in *Back Cup*. Unter Wasser konnte er eindringen.

Und hier ist der Schlupfwinkel, wo Graf d'Artigas mit seinen Kumpanen haust. Sozusagen jenseits – außerhalb – der menschlichen Welt.

NEUNTES KAPITEL

UNTER DER TASSE

Am nächsten Morgen konnte ich, ohne von irgend jemandem in meiner Bewegungsfreiheit gehindert zu werden, eine erste gründliche Besichtigung der großräumigen Höhle von *Back Cup* vornehmen.

Vorausgegangen war eine schreckliche Nacht – voller Alpträume und in brennender Erwartung des kommenden Tages.

Man hatte mich tief in eine Grotte hineingeführt, die ungefähr hundert Schritte von der Ankerstelle des *Tug* entfernt lag. Diese Grotte, die etwa zehn bis zwölf Fuß lang war und ebenso breit, hatte elektrisches Licht und wurde, sobald ich sie betreten hatte, hinter mir durch eine Tür verschlossen.

Es wunderte mich nicht mehr, daß in dieser Höhle schon elektrischer Strom zur Beleuchtung verwendet wurde, denn er stand ja auch als Antrieb für den Unterseeschlepper zur Verfügung. – Aber wie wurde er erzeugt? Woher kam er? Gab es irgendwo in dieser ungeheuren Gruft eine Fabrik – mit all den dazugehörigen und notwendigen Maschinen, Dynamos und Akkumulatoren?

In meiner Zelle steht ein Tisch mit verschiedenen Speisen darauf, dann eine Liege mit Bettzeug, ein Rohrsessel, ein Schrank mit Leibwäsche und Kleidern zum Wechseln. Im Schubfach des Tisches finde ich Papier, Tinte und Federn. In der rechten Ecke steht ein Waschtisch mit allem, was dazugehört. Im ganzen alles sehr sauber.

Ich nehme meine erste Mahlzeit ein: Frischfleisch, Trockenfleisch, ein gutes Brot, Ale und Whisky. Doch bin ich so aufgeregt, daß ich kaum etwas davon hinunterbringe.

Aber so geht das nicht! Ich muß mich zusammennehmen! Kopf und Herz müssen wieder ruhig arbeiten, die Vernunft muß wieder regieren. Ich will endlich wissen, was diese Handvoll Leute hier in den Eingeweiden eines hohlen Berges zu suchen hat – und ich werde dahinterkommen!

Graf d'Artigas hat sich also in diesem hohlen Zahn von *Back Cup* häuslich eingerichtet. Die Höhle, die kein Mensch kennt, ist seine Burg und seine Wohnung, solange er nicht mit der *Ebba* die Küsten der Neuen Welt aufsucht oder vielleicht auch die Meere der Alten Welt unsicher macht – wer weiß? Jedenfalls ist hier sein Stützpunkt – seine Basis, die er entdeckt hat und zu der es nur einen unterseeischen Zugang gibt, einen Wasserdurchbruch, der zwischen zwanzig und dreißig Fuß unterm Meeresspiegel liegen mag.

Warum hat sich Graf d'Artigas von der Menschheit zurückgezogen? Was wäre alles aus seiner Vergangenheit zu erfahren? Wenn der Name – und der Grafentitel vermutlich genauso – nur angenommen sind, welche Gründe mag er haben, sein wahres Gesicht zu verbergen? Ist er ein entflohener Sträfling – oder lebt er in der Verbannung und zieht dieses Exil jedem anderen vor? Oder habe ich am Ende einen ganz großen Räuber vor mir, der hier – vergraben in seine unterirdische Höhle, ungestraft und vor Verfolgungen sicher – sein verbrecherisches Handwerk treibt?

Alles ist möglich bei diesem rätselhaften Fremden, weil man ihm alles zutrauen kann.

Und wieder drängt sich mir die Frage auf, für die ich noch keine zufriedenstellende Antwort gefunden habe: Warum hat er Thomas Roch unter den uns bekannten Umständen aus *Healthful House* entführt? Hofft er tatsächlich, ihm das Geheimnis seines Fulgurators zu stehlen? Wozu? Will er damit etwa *Back Cup* verteidigen, falls dieses Versteck doch einmal entdeckt würde?

Aber in diesem Fall würde man die Insel, die der *Tug* allein ja nicht ausreichend versorgen kann, doch einfach aushungern! Und auch die Goélette hätte keinerlei Chancen, eine etwaige Blockade zu durchbrechen – und in jedem Hafen wüßte man über sie Bescheid. Was will also Graf d'Artigas mit Thomas Rochs Erfindung – was kann er damit anfangen? Mir ist es ein Rätsel.

Gegen sieben Uhr am Morgen springe ich aus dem Bett. Ich bin zwar gefangen zwischen den Felswänden dieser Höhle, doch hat man mich nicht in meine Zelle eingeschlossen. Niemand hindert mich, sie zu verlassen – und ich gehe hinaus.

Zunächst dehnt sich ein etwa dreißig Meter langer felsiger Vorplatz aus, eine Art Quai, der sich nach links und rechts hinstreckt.

Einige Matrosen der *Ebba* sind am *Tug* beschäftigt, der an einem kleinen Steindamm angelegt hat und nur wenig aus dem Wasser ragt. Sie laden Ballen aus, entleeren den ganzen Frachtraum.

Ein Dämmerlicht, an das meine Augen sich erst allmählich gewöhnen müssen, erhellt die Höhle, die am Scheitelpunkt ihrer Wölbung wie durch einen riesigen Kamin den Himmel zeigt.

Aus diesem Schornstein quellen also die Dämpfe,

vielmehr der Rauch, der uns die Insel aus einer Entfernung von drei oder vier Meilen erkennen ließ, sage ich mir.

Und damit ergibt sich für mich sofort eine ganze Reihe logischer Schlußfolgerungen.

Dann ist dieses *Back Cup* also auch gar kein Vulkan, wie man allgemein annimmt und wie ich selber geglaubt habe. Der ganze Rauch, das ganze Feuer, das der Gipfel seit einigen Jahren ausspuckt, sind künstlich erzeugt!

Und genauso das donnernde Getöse, das den bermudischen Fischern so höllische Furcht einjagte! All das waren keine Symptome vulkanischer Tätigkeit, sondern von Menschenhand entzündete Flammen und ausgelöste Explosionen. Graf d'Artigas ließ nach Belieben den Berg grollen und Funken regnen, um die Siedler von ihren Hütten – seinen Ufern – zu vertreiben. Und er hat seine Absicht erreicht: Er ist einziger und unumschränkter Herr über *Back Cup* geworden. Nur durch den Lärm seiner Detonationen – nur dadurch, daß er aus dem vermeintlichen Krater den Rauch des eingeschwemmten und dann getrockneten Tangs und Sargassos abziehen ließ, hat er die Existenz eines Vulkans vorgetäuscht und den Glauben geweckt, dieser sei plötzlich wieder aktiv geworden und man müsse stündlich mit einem gewaltigen Ausbruch rechnen: Zu diesem Ausbruch wäre es nie gekommen!

So muß das also gewesen sein. Und der Graf war klug genug, sein Feuerwerk überm Gipfel von *Back Cup* auch nach dem Abzug der Fischer laufend zu unterhalten.

Allmählich wird es heller. Je höher die Sonne steigt, desto mehr Tageslicht fällt durch den falschen Krater. Und jetzt ist es auch schon möglich, die Dimensionen der gesamten Höhle mit einiger Genauigkeit zu bestimmen. Hier die ungefähren Abmessungen, zu denen ich dabei gekommen bin: Außen hat die fast kreisrunde Insel *Back Cup* einen Umfang von zwölfhundert Metern. Sie bedeckt also eine Fläche von fünfzigtausend Quadratmetern oder fünf Hektar. Die Stärke der Felsmauern schwankt nach meiner Schätzung an ihrem Fuß zwischen dreißig und hundert Metern.

Daraus folgt, daß die Höhle selbst – unter Abzug der umgebenden Mauer – die ganze Fläche der Felsmasse, soweit sie aus dem Meer herausragt, einnimmt.

Die Länge des Unterwassertunnels, der die Höhle mit der offenen See verbindet, mag etwa vierzig Meter betragen.

Diese Annäherungswerte geben eine Vorstellung von der Gesamtfläche der Höhle. So beachtlich sie aber auch sein mag, muß ich darauf hinweisen, daß es in der Alten wie auch in der Neuen Welt noch weit größere gibt, die zum Teil schon sehr genau durchforscht sind.

Da sind zum Beispiel in der Carniole, in Northumberland, Derbyshire, in Piemont, auf Morea und den Balearen, in Ungarn und in Kalifornien Höhlen, die in ihrer Ausdehnung die von *Back Cup* weit übertreffen. Auch die bei Han-sur-Lesse in Belgien ist größer, ganz zu schweigen von der aus vielen Einzelgrotten bestehenden Mammuthöhle von Kentucky, USA – mit nicht weniger als zweihundertsechsundzwanzig Wölbungen, sieben Flüssen, acht Wasserfällen, zweiunddreißig Schächten von noch unbekannter Tiefe und in der Mitte mit einem fünf bis sechs Lieue großen See, zu dessen Ende auch noch keiner der Forscher vordringen konnte.

Ich kenne diese Höhlenstadt Kentuckys, habe sie selber – wie Tausende anderer Touristen – besucht. Ihre Haupthöhle fordert zu einem Vergleich mit der von *Back Cup* heraus. Auch in der Mammuthöhle wird die Wölbung von Pfeilern verschiedener Formen und Größen getragen und bekommt dadurch etwas von einer gotischen Kathedrale mit ihren Hauptschiffen, Seitenschiffen und Seitenkapellen – wobei dem Ganzen natürlich die Symmetrie eines kirchlichen Bauwerks fehlt.

Der einzige wesentliche Unterschied der beiden Höhlen besteht darin, daß in der von Kentucky die Decke dreihundert Meter hoch liegt und die von *Back Cup* nur hundert. Aber dafür ist sie durchbrochen, so daß Rauch und Flammen abziehen können.

Und noch eine interessante und wichtige Besonderheit: Fast alle Höhlen, die ich genannt habe, waren leicht zugänglich und sind deshalb auch längst entdeckt und erforscht.

Anders verhält es sich mit *Back Cup*. Das ist zwar auf den Seekarten als ein den Bermudas vorgelagertes Eiland eingezeichnet, aber wer konnte im Innern des Felsblockes schon eine so enorme Höhle vermuten? Um das zu erfahren, mußte man ins Innere gelangen, und das war eben nur möglich mit Hilfe des Unterseebootes, über das Graf d'Artigas verfügte.

Ich bin überzeugt, daß der seltsame Jachtbesitzer die Entdeckung des Tunnels – und damit die Möglichkeit, diese unheimliche Kolonie von *Back Cup* zu gründen – dem bloßen Zufall verdankt.

Ich schaue mir den See an, der sich ins Innere des Bergstocks hineinzieht, und stelle fest, daß er nicht sehr groß ist. Er mag einen Umfang von dreihundertfünfzig Metern haben. Damit bildet er eigentlich nur eine Lagune zwischen senkrechten Felswänden. Aber das reicht für Wendemanöver des *Tug* völlig aus, denn sie ist breit genug und etwa vierzig Meter tief.

Unnötig zu erwähnen, daß die Höhle unter Einwirkung – und nach einem schließlichen Einbruch – von Seewasser entstand. Gleicherweise maritimen und vulkanischen Ursprungs sind auch die Höhlen von Croton und Morgate an der Bucht von Douarnenez in Frankreich, von Bonifacio an der Küste von Korsika, die von Thorgatten an der norwegischen Küste, deren Scheitelhöhe sogar fünfhundert Meter betragen soll, und endlich die in Griechenland, die Grotte von Gibraltar in Spanien und von Touranne in Cochinchina. Bei ihnen allen weist die Struktur ihrer Felsschale darauf hin, daß sie das Resultat zwiefacher geologischer Bearbeitung sind.

Das Eiland *Back Cup* besteht vorwiegend aus Kalkstein. Vom Ufer der Lagune steigt zunächst eine Geröllhalde sanft an – bis zu den Gesteinswänden. Dazwischen dehnen sich auch kleine Flächen mit ganz feinkörnigem Sand, und diese wiederum sind an einigen Stellen durchwachsen von störrischen und dichten Steinkleebüscheln. Hier haben sich auch der Tang und Sargasso abgelagert. Teils schon verdorrt, teils noch naß und klebrig, dünstet er den ätzenden scharfen Geruch nach Seewasser aus, den er verbreitet, wenn ihn die Strömung durch den Tunnel getrieben und ans Ufer der Lagune geschwemmt hat.

Er bildet übrigens nicht das einzige Brennmaterial, von dem man ja in *Back Cup* große Mengen für die verschiedensten Zwecke braucht. Ich sehe auch mächtige Halden von Steinkohle, die alle der *Tug* im Lauf der Zeit eingefahren haben muß. Der Rauch jedoch, das darf ich wiederholen, den man zum Verscheuchen der Fischer erzeugt hat und auch jetzt noch aus dem Krater wirbeln läßt – der stammt ausschließlich aus verbranntem pflanzlichem Schwemmgut.

Ich setze meinen Erkundungsspaziergang fort und finde am Nordufer der Lagune die Wohnungen dieser Troglodyten – diesen Namen verdienen sie doch wohl?! Diesen Teil der Höhle nennt man hier ›Bee-Hive‹, das heißt ›Bienenstock‹ – und tatsächlich sind das auch Bienenstöcke: Man hat reihenweise tiefe Löcher in die Kalkwände gescharrt, und in ihnen hausen diese menschlichen Wespen.

Die Ostseite der Höhle zeigt eine völlig andere Struktur. Hier ragen, winden und verzweigen sich Hunderte von gewachsenen – besser gesagt – stehengebliebenen Steinpfeilern, und sie stützen die Rippen der Wölbung. Ein wahrhaftiger Wald von steinernen Bäumen, der sich bis ins tiefste Innere der Höhle hinein erstreckt. Und durch diese Pfeiler läuft kreuz und quer ein Labyrinth vielfach gewundener Gänge, in denen man bis in die letzten Winkel der Höhle vordringen kann.

Wenn man die Zellen von Bee-Hive zählt, kommt man etwa auf achtzig bis hundert und hat damit die ungefähre Anzahl der Kumpane des Grafen d'Artigas.

Vor einer Zelle, die etwas abseits der anderen liegt, steht der Graf – und Kapitän Spade und Ingenieur Serkö kommen gerade auf ihn zu. Sie wechseln einige Worte und gehen dann miteinander zum Ufer hinunter und bleiben auf der kleinen Mole stehen, an welcher der *Tug* festgemacht hat.

Gerade werfen ein Dutzend der Männer, die vorher den Unterseeschlepper entladen hatten, die Waren in ein Boot und rudern sie über die Lagune, wo auf der anderen Seite große Lagerräume in die Felswand geschlagen wurden.

Die Einmündung des Unterwassertunnels in die Lagune kann ich nicht finden. Doch ich konnte ja beobachten, daß der von der See her einlaufende Schlepper mehrere Meter tief tauchen mußte. Es ist also in *Back Cup* nicht so wie bei der Grotte von Staffa oder Morgate, wo der Eingang auch bei Flut immer frei ist. Ob es außer diesem Tunnel noch irgendeinen anderen Durchgang zum äußeren Rand der Insel gibt – eine von der Natur oder von Menschenhand ausgehauene Gasse –, das muß ich unbedingt in Erfahrung bringen, es ist für mich ungeheuer wichtig.

Wirklich – das Eiland *Back Cup* verdient seinen Namen! Es ist nämlich nicht nur von außen, sondern – was ich noch nicht wußte – auch von innen eine umgestülpte Tasse.

Ich sagte schon, daß Bee-Hive den Teil der Höhle einnimmt, der sich am Nordufer der Lagune – das heißt links vom Tunneleingang – hinzieht. Am Südufer sind Lagerräume in den Felsen gesprengt, in denen Vorräte aller Art gestapelt werden: Warenballen, Fässer mit Wein und Brandy, Biertonnen, Kanister und Konserven, Kisten mit verschiedenstem Inhalt. Den Beschriftungen nach kommen sie von überall her. Man könnte den Eindruck gewinnen, das Frachtgut von zwanzig Schiffen aus zwanzig Nationen sei hier zusammengetragen und gestapelt worden.

Neben diesen Lagergrotten wurde ein ziemlich wichtiges Gebäude errichtet, dessen Zweck und Bedeutung man auf den ersten Blick erkennt, obwohl es von einem hohen Bretterzaun umgeben ist. Denn in der Mitte wird das Bauwerk von einem Ständer überragt, und von diesem laufen starke Kupferdrähte überall hin, wo an der Wölbung mächtige Bogenlampen hängen. Aber auch die einzelnen Zellen des Bienenkorbes werden von hier mit Strom versorgt. Sogar zwischen den Pfeilern sind überall große elektrische Birnen angebracht, so daß es möglich ist, die gesamte Höhle bis in ihre letzten Felsrillen hinein auszuleuchten.

Ich bin neugierig, ob man mich wohl im Innern von *Back Cup* frei herumlaufen läßt. Ich hoffe es. Schließlich hat Graf d'Artigas keinerlei Veranlassung, meine Freiheit einzuschränken und mir die Durchforschung seines geheimnisvollen Reiches zu verwehren. Ich bin ja vom Rand der Tasse umgeben. Hinaus kann man nur durch den Tunnel. Und wie sollte man durch dieses hermetisch abgeschlossene Unterwassertor ins Freie kommen?

Und angenommen, ich könnte doch auf irgendeine Weise den Tunnel passieren – dann würde man mein Verschwinden sehr bald bemerken. Der *Tug* brächte ein paar Leute ans äußere Ufer, und die würden es bis in seine verborgensten Schlupfwinkel hinein durchkämmen und mich wieder einfangen und nach Bee-Hive zurückschleppen. Und dann wäre es endgültig vorbei mit meiner Bewegungsfreiheit.

Ich muß mir also jeden Gedanken an Flucht aus

dem Kopf schlagen, solange sich nicht wenigstens die Spur einer Chance zeigt. Sollte sich wirklich einmal zufällig eine günstige Möglichkeit bieten, dann werde ich sie mir ganz bestimmt nicht entgehen lassen.

Während ich so an den einzelnen Zellen vorbeischlendere, kann ich mir auch die Leute des Grafen d'Artigas etwas genauer anschauen. Was sind das nun für Typen, die sich mit ihrem Anführer in diesem hohlen Riesenzahn der Natur lebendig begraben lassen?

Ich sagte schon – es sind, nach der Anzahl ihrer Zellen zu schließen, etwa hundert – und sie ignorieren meine Anwesenheit völlig. Ihre Physiognomien verraten dem aufmerksamen Beobachter bald, daß sie von überall herkommen. Ich finde keine Anzeichen gemeinsamer Abstammung, nicht einmal irgendwelche Merkmale, die sie als Nordamerikaner, Europäer oder Asiaten kennzeichnen würden. Ihre Hautfarbe geht von Weiß über Kupferbraun bis ins Schwarze – doch ist es eher das Schwarz des indochinesischen Archipels als das der Afrikaner. Die meisten von ihnen scheinen jedenfalls malaiischen Völkergruppen anzugehören, denn diesen Typ findet man besonders häufig. Ich wiederhole, daß auch Graf d'Artigas unzweifelhaft malaiische Züge trägt, die ihn jener Mischrasse der niederländischen Inseln im Stillen Ozean zuordnen, während Ingenieur Serkö Levantiner und Kapitän Spade Italiener ist.

Wenn nun diese Bewohner von *Back Cup* nicht durch das Band von Herkunft und Rasse verbunden sind, so haben sie doch bestimmt gleiche Interessen und Ziele. Welch entsetzliche Gesichter, was für verrohte Züge, überhaupt – was für schauerliche Typen! Es sind Gewaltverbrecher, die zügellos ihren primitiven Leidenschaften leben und ganz sicher vor keinem Mord zurückschrecken. Und warum sollen – dieser Gedanke kommt mir ganz plötzlich –, warum sollen sie nicht einfach deshalb, nach all ihren Räubereien, Brandstiftungen und Morden, auf die Idee gekommen sein, sich in dieser Höhle zu verkriechen, wo sie der Arm irdischer Gerechtigkeit nie erreichen kann? – Dann wäre Graf d'Artigas nicht mehr und nicht weniger als der Chef einer Verbrecherbande, Spade und Serkö wären seine beiden Offiziere, *Back Cup* wäre ein Seeräubernest.

Das ist die Schlußfolgerung, die sich mir immer stärker aufdrängt. Und ich müßte mich sehr wundern, wenn mir die Zukunft beweisen würde, daß ich mich getäuscht hätte. Was ich jedenfalls bei meinem ersten Rundgang beobachten kann, scheint meine schlimmsten Vorahnungen eher zu bestätigen als zu zerstreuen.

Doch wer sie auch sein mögen und was sie hier zusammengeführt haben mag – man sieht sofort und sehr deutlich: Alle haben sich der absoluten Befehlsgewalt des Grafen rückhaltlos unterworfen. Aber wenn sie nun eiserne Disziplin unter einem strengen Kommando zusammenhält, so muß es für sie als Ausgleich zu dieser Art von sklavischem Gehorsam doch auch irgendwelche Vorteile geben. Aber welche?

Ich spaziere zunächst die Uferstrecke entlang,

unter der die Mündung des Tunnels liegt, dann wandere ich um die Lagune herum zur andern Seite, wo die Waren gestapelt sind, die unsere Goélette von ihren Fahrten mitgebracht hat. Die geräumigen, in die Felswände gesprengten Grotten können eine beträchtliche Anzahl von Ballen aufnehmen, und alle Höhlungen sind auch voll davon.

Daneben liegt – wir wissen es schon – das Elektrizitätswerk. Ich kann über den Zaun in seine oberen Fenster schauen und sehe die modernsten Maschinen und Apparaturen, die jüngsten Erfindungen auf diesem Gebiet, die wenig Platz brauchen und höchst rationell arbeiten. Da gibt es keine Dampfmaschinen mehr, die Steinkohle brauchen und einen komplizierten Mechanismus erfordern! Nein – wie ich mir gedacht hatte, sind es Batterien von höchster Spannungsintensität, die den Strom für die Beleuchtung der Höhle liefern und die Dynamos des *Tug* speisen. Derselbe Strom dient auch der Bewirtschaftung. In Bee-Hive wird elektrisch geheizt und gekocht. Und in einer größeren Höhle stehen Destillierkolben zur Gewinnung von Süßwasser aus dem Meer.

Back Cup hat es nicht nötig, die reichlichen Niederschläge aufzufangen, um zu Trinkwasser zu kommen. Wenige Schritte neben dem Elektrizitätswerk liegt eine Zisterne – fast ebenso groß und durchaus vergleichbar mit denen, die ich auf den Bermudas gesehen hatte.

Jene deckten den Bedarf einer Bevölkerung von zehntausend Seelen – diese hier versorgt hundert!

Aber immer noch weiß ich nicht recht, in welche Kategorie von Menschen ich diese Leute hier einordnen soll. Sicher haben sie – ebenso wie ihr Chef – zwingende Gründe, im Innern dieser umgestülpten Tasse zu hausen. Aber was sind das für Gründe?

Wenn Mönche sich hinter Klostermauern einschließen, um sich von der übrigen Menschheit abzusondern, so läßt sich das erklären. Die Trabanten des Grafen d'Artigas sehen aber keineswegs nach Benediktinern aus oder nach Karthäusern.

Ich setze meinen Spaziergang fort und komme durch den Pfeilerwald bis zur Begrenzung der Höhle. Niemand spricht mich an oder hält mich auf – bisher hat sich überhaupt keiner um mich gekümmert.

Dieser Teil von *Back Cup* ist höchst merkwürdig – und man kann ihn nur mit den Wundern vergleichen, wie sie die Höhlen von Kentucky oder die auf den Balearen dem Auge bieten. Hier hat sich noch keine menschliche Hand geregt. Einzig die Natur hat gearbeitet – und die Zeit. Mit Staunen und Entsetzen versucht man sich die tellurischen Kräfte vorzustellen, die solche grandiosen Monumente schaffen konnten. Auf das Ufer jenseits der Lagune fällt durch den Kamin ganz schräg das Licht der Sonne. Wenn am Abend alle Lampen brennen, muß die Höhle den Anblick einer Zaubergrotte bieten. – Übrigens habe ich trotz aller

Mühen immer noch keinen Gang entdeckt, der ins Freie führt.

Nun wäre noch nachzutragen, daß zahllose Vögel – Regenpfeifer, Möwen und Seeschwalben – auf unserer Insel Schutz finden. Überall auf den Bermudas sind das die gewohnten Gäste, aber hier – so scheint es – hat man ihnen nie nachgestellt, und so vermehren sie sich lustig weiter und sind von einer Zutraulichkeit, die man sonst an ihnen nicht kennt.

Auf *Back Cup* gibt es aber auch noch andere Tiere – nicht nur Seevögel. Neben Bee-Hive sind Stallungen und Einfriedungen für Kühe, Schweine, Hammel und Federvieh. Damit ist eine abwechslungsreiche Ernährung gesichert; dazu kommt die Ausbeute an Fischen draußen an den Klippen und innerhalb der Lagune. Überall gibt es hier Fische verschiedenster Art in erstaunlicher Menge.

Man braucht die Bewohner von *Back Cup* nur anzusehen – dann weiß man, es geht ihnen gut. Es sind kraftstrotzende Burschen, vom Wind der heißen Zonen tief gebräunte Seebären, denen der salzige Sturm das Blut fast zu sehr mit Sauerstoff angereichert hat. Kinder und Greise gibt es hier nicht, nur Männer im Alter von dreißig bis fünfzig Jahren.

Warum aber haben sie sich dieser Lebensweise unterworfen? Und verlassen sie niemals diesen seltsamen Schlupfwinkel von *Back Cup*?

Vielleicht werde ich bald dahinterkommen.

ZEHNTES KAPITEL

KER KARRAJE

Meine Zelle ist eine der letzten in dieser Reihe von Bee-Hive und liegt etwa hundert Schritt von der Residenz des Grafen d'Artigas entfernt. Zwar soll ich offenbar nicht mit Thomas Roch zusammen wohnen, aber ich glaube, daß er ganz in meiner Nähe untergebracht ist. Denn wenn man Wert darauf legt, daß der ehemalige Wärter von *Healthful House* seinen Patienten gegebenenfalls auch hier pflegen kann, müssen die beiden Unterkünfte einander benachbart sein. Darüber werde ich sicher bald Näheres erfahren.

Kapitän Spade und Ingenieur Serkö wohnen – jeder etwas abgesondert – neben dem ›Palais d'Artigas‹.

Ein Palast? – Ja – warum soll man diese Grotte nicht so nennen, da sie doch mit einer gewissen Kunstfertigkeit hergerichtet wurde? Geschickte Hände haben die Wand bearbeitet, so daß eine reich verzierte Fassade entstand. Eine breite Tür ist der Eingang. Das Licht fällt durch verschiedene in den Kalkfelsen gebrochene Buntfenster ein. Es gibt mehrere Zimmer, einen Speisesaal und einen Salon mit den Scheiben eines riesigen ehemaligen Kirchenfensters. Alles ist so konstruiert, daß immer und überall Frischluft zirkuliert. Das Mobiliar ist uneinheitlich nach Alter und Provenienz. Die Einzelstücke tragen Marken französischer, englischer und amerikanischer Herkunft. Offenbar liebt der Besitzer das Durcheinander von Stilarten. Küche und Vorratsräume liegen in angrenzenden Zellen – hinter Bee-Hive.

Am Nachmittag gehe ich mit der festen Absicht weg, mir beim Grafen d'Artigas ›eine Audienz zu verschaffen‹. Ich sehe ihn, wie er an der Lagune entlang zu seinem Bienenstock will. Ob auch er mich gesehen hat oder nicht – jedenfalls beschleunigt er seine Schritte, und ich kann ihn nicht mehr einholen.

Empfangen muß er mich – auf jeden Fall, sage ich mir.

So beeile ich mich und erreiche die Tür, die sich gerade vor mir geschlossen hat.

Ein großer Teufel malaiischer Herkunft und mit schwärzlicher Haut pflanzt sich an der Schwelle vor mir auf und macht mir gestikulierend und mit heiserer Stimme klar, ich solle verschwinden.

Ich denke nicht daran, bleibe vor ihm stehen und wiederhole zweimal in deutlichem Englisch den Satz: »Melden Sie dem Grafen d'Artigas, ich wünsche ihn unverzüglich zu sprechen!«

Aber das hätte ich ebenso gut an einen der Felsen von *Back Cup* hinaufrufen können. Der Urmensch versteht offensichtlich kein Wort und antwortet mit einem wild drohenden Schrei.

Ich überlege, ob ich Gewalt anwenden soll. Ich

könnte an ihm vorbei in die Behausung vordringen und mich dann mit solcher Lautstärke bemerkbar machen, daß mich Graf d'Artigas hören müßte. Aber damit hätte ich wahrscheinlich nur den Malaien noch weiter gereizt – und dieser Koloß scheint die Kräfte eines Herkules zu besitzen.

So verzichte ich vorerst auf die Erklärung, die mir der Graf schuldig ist – früher oder später muß er sie mir ja doch geben!

Während ich in östlicher Richtung an der Zellenreihe von Bee-Hive entlangspaziere, muß ich wieder an Thomas Roch denken. Ich bin sehr erstaunt, daß ich ihn diesen ganzen ersten Tag über noch nicht gesehen habe. Ob er schon wieder einen Anfall hat?

Diese Vermutung dürfte kaum zutreffen. Demnach, was Graf d'Artigas dazu geäußert hat, würde in diesem Fall sofort der Wärter Gaydon ans Bett des Kranken gerufen.

Ich bin noch keine hundert Schritte gegangen, da treffe ich auf Ingenieur Serkö.

Er ist nett wie immer und bester Laune. Sowie er mich sieht, huscht sofort wieder das ironische Lächeln über seine Lippen – und er geht mir nicht aus dem Weg.

Wenn er wüßte, daß ich ein Kollege bin – falls er selber tatsächlich Ingenieur ist –, würde er mich vielleicht etwas weniger herablassend behandeln. Aber ich werde mich hüten, ihm meinen Namen und Beruf zu verraten.

Mit blitzenden Augen und spöttisch verzogenen Mundwinkeln bleibt Ingenieur Serkö vor mir stehen und begrüßt mich mit einer übertrieben eleganten Handbewegung.

Ich antworte kalt, aber er scheint das nicht zu bemerken.

»Der heilige Jonathan sei mit Ihnen, Monsieur Gaydon!« sagt er mit seiner frischen und klangvollen Stimme. »Ich hoffe, Sie wollen sich nicht über den glücklichen Zufall beschweren, der Sie in diese Höhle geführt hat. Es ist die schönste, die ich kenne – eine der schönsten überhaupt auf unserm Sphäroiden und eine der am wenigsten bekannten!«

Daß er im Gespräch mit einem Anstaltswärter das wissenschaftliche Wort Sphäroid gebraucht, wundert mich – und ich antworte nur:

»Ich würde mich nicht beschweren, Herr Serkö, wenn man mich nach diesem Vergnügen, die Höhle besichtigen zu dürfen, jetzt wieder laufen ließe!«

»Ach! Sie wollen uns doch nicht schon wieder verlassen, Herr Gaydon!? Nach Ihrem trübsinnigen Pavillon in *Healthful House* zurückkehren!? Sie haben ja fast noch gar nichts gesehen von unserm phantastischen Domizil! Sie haben die unvergleichlichen, grandiosen Schönheiten, mit denen einzig die Natur unser Zauberschloß ausgestattet hat, ja überhaupt noch nicht bewundern und auskosten können!«

»Was ich davon gesehen habe, genügt mir«, antworte ich, »und wenn Sie ernsthaft mit mir

reden wollen, kann ich Ihnen nur ebenso ernsthaft erwidern, daß ich keinen Wert darauf lege, noch weitere Details kennenzulernen.«

»Also Monsieur Gaydon, dazu muß ich bemerken, daß Sie nach einer so oberflächlichen Betrachtung die Vorzüge unserer ungewöhnlichen Lebensweise noch gar nicht beurteilen können – geschweige denn schätzen lernen konnten! Wir leben hier völlig unbehelligt und absolut sorglos – mit einer gesicherten Zukunft, unter wirtschaftlichen Bedingungen, die Sie sonst nirgends finden. Wir haben das denkbar beste Klima; der draußen tobende Sturm kümmert uns ebenso wenig wie der Frost im Winter und die Hitze im Sommer. Den Wechsel der Jahreszeiten spüren wir hier – in dieser paradiesisch gemäßigten Atmosphäre – so gut wie überhaupt nicht. Weder Plutos noch Neptuns Zorn kann uns hier erreichen!«

Daß er fortwährend mythologische Namen in seine Tiraden einstreut, finde ich besonders geschmacklos: Ingenieur Serkö belieben sich lustig zu machen über den Krankenpfleger Gaydon, der ganz sicher noch nie etwas von Pluto oder Neptun gehört hat.

»Es ist durchaus möglich, Herr Ingenieur, daß Ihnen dieses Klima zusagt! Daß Sie die besonderen Vorzüge dieser Höhle von –«

Um ein Haar hätte ich den Namen *Back Cup* ausgesprochen! Im letzten Augenblick konnte ich das Wort wieder verschlucken. Was wäre wohl passiert, wenn man erfahren hätte, daß ich den Namen der Insel – und damit auch deren Lage am Westende der Bermudas – genau kannte?

»Wenn mir dieses Klima nun aber überhaupt

nicht gefällt«, fahre ich also fort, »dann habe ich doch wohl das Recht, mir wieder ein anderes zu suchen?!«

»Das Recht – ja!«

»Und deshalb erwarte ich, daß man mir die Rückreise nach Amerika gestattet – und ermöglicht!«

»Mit Gründen der Logik kann man Ihnen eigentlich nicht widersprechen, Monsieur Gaydon«, räumt der Ingenieur ein. »Ihre Forderung ist sogar durchaus berechtigt. Aber denken Sie doch einmal an die wunderbare Unabhängigkeit – an die stolze Freiheit, in der wir hier leben! Keiner fremden Macht untertan, keiner Autorität ausgeliefert, keine Kolonisten – weder der Alten noch der Neuen Welt! Schlägt nicht auch Ihr Herz höher bei dieser Vorstellung? Und dann – was werden hier nicht für Erinnerungen geweckt in jedem anspruchsvollen Verstand! – Diese Grotten, die aussehen, als ob sie von den Göttern mit eigenen Händen ausgehöhlt worden wären, diese Stalaktitenwälder, in denen sie einst ihre Orakel verkünden ließen durch den Mund des Trophonius –«

Offensichtlich gefällt sich Ingenieur Serkö im Zitieren von Mythologie. Erst Pluto und Neptun, jetzt Trophonius! So ein Unsinn! Er glaubt doch nicht, daß ein Krankenpfleger Trophonius kennt! – Nein, er macht sich eben weiter lustig über mich – und ich muß mich sehr zusammennehmen, um ihm nicht im gleichen Ton zu antworten.

»Bevor ich Sie traf«, bemerke ich kurz, »wollte ich in diese Wohnung eintreten. Wenn ich nicht irre, ist es die des Grafen d'Artigas. Man hat mich daran gehindert.«

»Wer, Monsieur Gaydon?«

»Der Mann, der dort unter der Tür steht!«

»Ach!« Ingenieur Serkö tut sehr verwundert. »Dann hat er wahrscheinlich in bezug auf Sie besondere Anweisungen!«

»Graf d'Artigas muß mich anhören! Unbedingt – ob er will oder nicht!«

»Das wird schwierig sein – wenn nicht sogar völlig ausgeschlossen«, bemerkt Ingenieur Serkö lächelnd.

»Warum?«

»Weil er nicht mehr da ist, der Graf d'Artigas.«

»Machen Sie keine Witze! – Ich habe ihn eben gesehen, wie er in sein Haus ging!«

»Das war nicht Graf d'Artigas, den Sie gesehen haben, Monsieur Gaydon.«

»Wer denn sonst?«

»Das war der Seeräuber Ker Karraje!«

Diesen Namen stieß er mit harter Stimme aus. Dann wandte er sich ab und ging weg. Und ich dachte nicht daran, ihm weitere Fragen zu stellen.

– – Der Seeräuber Ker Karraje!

Dieser Name erklärte mir alles! – Ich kannte ihn gut – und welch schauerliche Erinnerungen rief er wach! – Jetzt begreife ich – was ich bisher nicht begreifen konnte! – Jetzt weiß ich, wer der Mann ist, in dessen Hände ich gefallen bin!

Mit all dem, was ich schon ausgekundschaftet und was ich seit meinem Eintreffen in *Back Cup* gesehen und von Ingenieur Serkö gehört habe, kann ich über Ker Karraje – wer er war und wer er ist – folgendes berichten:

Vor acht oder neun Jahren fing es an: Die Gebiete des westpazifischen Ozeans wurden fortlaufend ausgeplündert durch Überfälle von Piraten, die mit unnachahmlicher Rücksichtslosigkeit vorgingen. Es war eine Bande von Verbrechern aller Rassen. Deserteure von Kolonialtruppen, entwichene Sträflinge und von ihren Schiffen entlaufene Matrosen – unter einem fürchterlichen Häuptling. Den Kern der Bande bildeten zunächst Männer – der Abschaum von Europa und Amerika –, die nach Australien gingen, um dort in den neu entdeckten Goldlagern von Südwales ihr Glück zu machen. Unter diesen Goldgräbern waren auch Kapitän Spade und Ingenieur Serkö, die sich in Charakter und Niveau entsprachen und bald gute Freunde wurden.

Diese beiden gebildeten und fleißigen Männer wären bei ihrer angeborenen Intelligenz überall und in jedem Beruf vorangekommen. Aber, gewissenlos und ohne alle Bindungen und Hemmungen, war ihnen jedes Mittel recht, durch Spiel und Spekulationen das zu erreichen, wofür sie sonst geduldig und regelmäßig hätten arbeiten müssen.

So stürzten sie sich in die unglaublichsten Abenteuer, waren heute steinreich, morgen bettelarm – wie die meisten jener entwurzelten Kreaturen, die in den australischen Goldminen den Schlüssel zum Glück suchten.

Damals gab es in den Erzlagern von Neusüdwales einen Mann von beispielloser Tapferkeit – einen jener tollkühnen Hasardeure, die vor nichts – auch nicht vor Verbrechen – zurückschrecken und die dabei eine geradezu suggestive Anziehungskraft auf gewalttätige und verkommene gescheiterte Existenzen ausüben.

Dieser Mann nannte sich Ker Karraje.

Woher er kam, seine Nationalität und seine Vergangenheit, konnte auch später, als man Nachforschungen darüber anstellte, nie geklärt werden. Und wenn er auch nie aufgegriffen wurde, so machte doch sein Name – oder der, den er führte – bald die Runde durch die ganze Welt. Man sprach ihn nur mit Furcht und Schrecken aus als den eines sagenhaften, unsichtbaren und unverwundbaren Dämons.

Inzwischen glaube ich annehmen zu dürfen, daß Ker Karraje der malaiischen Rasse angehört – aber das ist unwichtig. Fest steht jedenfalls, daß man ihn zu Recht für einen furchtbaren Seeräuber hielt und ihm die Schuld gab an den zahllosen Piratenstreichen in den fernöstlichen Meeren.

Nachdem er sich ein paar Jahre in den Goldfeldern Australiens herumgetrieben und dabei den

Kapitän Spade und den Ingenieur Serkö kennengelernt hatte, konnte er im Hafen von Melbourne – in der Provinz Victoria – ein Schiff kapern. Etwa dreißig Gauner schlossen sich ihm an; bald waren es doppelt so viele, am Ende gegen hundert.

Man weiß nicht, wie viele Schiffe damals im Pazifik, wo die Seeräuberei so einfach durchzuführen und dabei so lohnend war, überfallen und mit Mann und Maus versenkt wurden. Und wie viele räuberische Razzias durchgeführt wurden auf kleinen einsamen Inseln, deren Bewohner sich nicht schützen oder verteidigen konnten.

Das Schiff Ker Karrajes, das unter dem Kommando des Kapitäns Spade stand, wurde zwar ein paarmal gesichtet und gemeldet, abfangen konnte man es jedoch nie. Es schien, als sei es für Kapitän Spade überhaupt kein Problem, im Labyrinth der vielen Inselgruppen, wo er jede Durchfahrt und jede einzelne Bucht kannte, wann und wie er wollte zu verschwinden.

Der Schrecken regierte in jenen Breiten. Engländer, Franzosen, Deutsche, Russen und Amerikaner schickten Kreuzer aus zur Aufbringung dieses Gespensterschiffes, das in See stach – niemand ahnte, wo –, Raub und Totschlag verbreitete und dann wieder irgendwo in einer ebenso unauffindbaren Bucht Anker warf. Man zweifelte an der Möglichkeit, die Piraten jemals zu finden und auszurotten.

Eines Tages hörten die Raubzüge plötzlich auf.

Niemand sprach mehr von Ker Karraje. Hatte er den Pazifik aufgegeben – gegen andere Meere vertauscht? Wohin hat er sein Schlachtfeld verlegt?

Aber die Furcht schien unbegründet – der Ozean war plötzlich wieder sicher geworden. Da redete man sich ein, Ker Karraje habe jetzt einfach genug. Denn seine Beute mußte ja – auch nach Abzug von all dem, was inzwischen verbraucht und verschwendet war – immer noch unermeßlich sein. Wahrscheinlich hatte sich Ker Karraje in irgendeinem nur ihm bekannten Schlupfwinkel in Sicherheit gebracht und lebte dort mit seinen Mordgesellen in Saus und Braus.

Aber wo war dieser Schlupfwinkel? Alle Nachforschungen in dieser Richtung blieben ohne Ergebnis. Und nachdem die Sorge mit dem Verschwinden der Gefahr vorüber war, gerieten die Piratenstreiche im Pazifischen Ozean sehr bald in Vergessenheit.

Das also war die Vorgeschichte. Was ich inzwischen aus eigener Anschauung ergänzen kann, wird nie ein Mensch erfahren, wenn es mir nicht gelingt, aus *Back Cup* zu fliehen.

Es ist richtig – jeder der Piraten war im Besitz eines beträchtlichen Vermögens, als die Jagdgebiete des Pazifischen Ozeans aufgegeben wurden. Sie zerstörten ihr Schiff und zerstreuten sich in alle Himmelsrichtungen – aber mit dem Vorsatz, sich auf dem amerikanischen Festland wieder zu treffen.

Ingenieur Serkö war ein sehr geschickter Konstrukteur – und Spezialist im Bau unterseeischer Fahrzeuge, die damals überall erprobt wurden. Er schlug Ker Karraje vor, einen solchen Apparat anfertigen zu lassen, um mit seiner Hilfe die früheren Raubzüge unter ungleich günstigeren Bedingungen wieder aufzunehmen.

Ker Karraje witterte sofort die Chance, die eine solche Idee barg, und da es an Kapital nicht fehlte, konnte man den Plan sofort in Angriff nehmen.

Während er selbst als angeblicher Graf d'Artigas die Goélette *Ebba* in den Werften von Göteborg in Schweden auf Kiel liegen ließ, übergab er dem Schiffsbaumeister Cramps in Philadelphia Auftrag und Pläne zu einem Unterseeboot. Das ließ dort keinerlei Verdacht aufkommen – und dieses Boot sollte ja auch kurz nach seiner Fertigstellung – wie wir gleich hören werden – mitsamt seiner Besatzung untergehen.

Es wurde nach den Zeichnungen des Ingenieurs Serkö und unter dessen besonderer Aufsicht gebaut, wobei die jüngsten nautischen Erkenntnisse und Errungenschaften praktische Verwendung fanden. Vor allem wurden auch Batterien modernster Konstruktion eingebaut, die ihre Energie durch Kurbelwellen auf die Schraube übertragen und dem Fahrzeug eine ungeheure Antriebskraft verleihen mußten.

Niemand hatte natürlich eine Ahnung, daß Graf

d'Artigas jener Ker Karraje war, der bisherige Piratenhäuptling vom Stillen Ozean – und Ingenieur Serkö sein schlimmster und entschlossenster Komplize. Man sah in ihm nur einen vornehmen und sehr begüterten Fremden, der seit einem Jahr mit seiner Goélette in vielen Häfen der amerikanischen Ostküste anlegte.

Die Goélette war übrigens lange vor Fertigstellung des *Tug* vom Stapel gelaufen. Denn die Arbeit an dem Unterseeboot dauerte nicht weniger als achtzehn Monate. Aber dafür war es dann auch Gegenstand der Bewunderung aller, die sich für Versuche mit Unterwasserfahrzeugen interessierten. Die äußere Form, die Innenausstattung, das System der Belüftung, sein Komfort, seine Stabilität, sein Tauchvermögen, seine Manövrierfähigkeit, seine Schnelligkeit, die Leistung der Antriebsbatterien – in allem übertraf das Boot bei weitem die Nachfolger der *Goubet, Gymnote, Zêdé* – und andere Versuchsschiffe, die damals auch schon konstruktiv ausgereift waren.

Darüber sollte sich jeder selbst ein Urteil bilden können, und deshalb wurde nach mehreren erfolgreichen Versuchen eine öffentliche Probefahrt durchgeführt – vier Seemeilen von Charleston auf hoher See. Zahlreiche Kriegs-, Handels- und Luxusschiffe fanden sich ein – man wollte sich dieses interessante Experiment nicht entgehen lassen.

Natürlich war auch die *Ebba* dabei – und auf

ihr, außer Graf d'Artigas, der Ingenieur Serkö, der Kapitän Spade und ein halbes Dutzend Matrosen, die das Boot später unterm Kommando des Maschinisten Gibson, eines waghalsigen und geschickten Engländers, übernehmen sollten.

Das Programm dieser entscheidenden Probefahrt umfaßte verschiedene Manöver auf See. Dann sollte das Boot unter Wasser gehen und erst einige Stunden später wieder auftauchen, nachdem es eine Boje gefunden hatte, die mehrere Seemeilen entfernt ausgeworfen worden war.

Die Vorstellung begann: Die Luke wurde geschlossen, das Boot führte allerlei Wendemanöver durch. Seine Geschwindigkeit erregte ebenso wie seine Beweglichkeit gerechtfertigte Bewunderung beim Publikum.

Dann wurde von der *Ebba* aus ein Zeichen gegeben, und der Apparat versank langsam – und war verschwunden.

Einige Schiffe steuerten die Boje an, wo das Unterwasserboot wieder auftauchen sollte.

Es vergingen drei Stunden, und es war immer noch nicht wieder zum Vorschein gekommen.

Niemand wußte, daß das Boot vom Grafen d'Artigas und von Ingenieur Serkö dazu bestimmt worden war, der Goélette *Ebba* künftig als ›Unterwasserlokomotive‹ zur Verfügung zu stehen. Der Graf hatte ihm Anweisung gegeben, erst wieder mehrere Seemeilen weiter draußen aufzutauchen und dort zu warten. Nur wenige waren eingeweiht

– alle anderen glaubten, es sei infolge eines Schadens am Rumpf oder des Versagens irgendeiner Maschine tatsächlich untergegangen. An Bord der *Ebba* spielte man die Bestürzung und Trauer, die auf den übrigen Schiffen wirklich herrschte.

Zwar wurde sofort eine Suchaktion eingeleitet, Taucher entlang des Weges, den das Unterseeboot vermutlich genommen hatte, hinuntergeschickt – vergeblich. Es schien gewiß – der stählerne Fisch war in der tiefen See verlorengegangen.

Zwei Tage später segelte Graf d'Artigas wieder ab – und nach vierundzwanzig Stunden traf er an der vereinbarten Stelle auf seinen *Tug*.

So kam Ker Karraje zu dem wunderbaren Boot, das zweierlei Funktionen übernahm: Erstens konnte es die Goélette bei Windstille ins Schlepp nehmen, zweitens andere Schiffe angreifen. Mit dieser furchtbaren Zerstörungsmaschine, die der *Tug* gleichzeitig darstellte und von dessen Existenz und Wirkung kein Mensch etwas ahnte, war Graf d'Artigas nun in der Lage, seine alten Piratenzüge mit noch besserem Erfolg und noch sicherer vor Entdeckung als bisher wieder aufzunehmen.

Die Einzelheiten über den *Tug* habe ich von Ingenieur Serkö erfahren, der auf sein Werk ebenso stolz war wie überzeugt, daß der Gefangene von *Back Cup* nie in der Lage sein werde, das Geheimnis zu verraten.

Man stelle sich vor, welch vernichtende Offensivwaffe Ker Karraje jetzt zur Verfügung stand:

Im nächtlichen Dunkel bohrte sich der *Tug* irgendeinem Frachter, dem die harmlos scheinende Goélette gefolgt war, seitlich in den Rumpf. Sobald er dem Schiff mit seinem Rammsporn ein tödliches Leck beigebracht hatte, legte sich die Goélette daneben, die Matrosen sprangen über, metzelten die aufgescheuchte Mannschaft nieder und plünderten das sinkende Schiff.

So kam es, daß von diesem Zeitpunkt an mehr Frachter als je zuvor in den Seeberichten nur noch unter der Rubrik ›Verschollen‹ zu finden waren.

Nach dem widerlichen Spektakel in der Bai von Charleston versenkte Ker Karraje nun ein Jahr lang eine Menge – vorwiegend – Frachter in den Gewässern des Atlantischen Ozeans. Die erbeuteten Schätze häuften sich immer mehr. Was er an Waren und Gütern nicht selber brauchen konnte, verkaufte er in entlegenen Häfen gegen Gold- und Silberbarren.

Jetzt fehlte ihm nur noch ein absolut gesicherter und völlig geheimer Hafen, wo er und seine Piraten all die Reichtümer bis zur Stunde der Verteilung aufbewahren konnten.

Da kam ihnen ein Zufall zu Hilfe. Als Ingenieur Serkö und der Maschinist Gibson die Küsten rings um die Bermudas abfuhren, entdeckten sie am Fuß von *Back Cup* den Tunnel, der ins Innere der Insel führte. Einen besseren, gegen alle Suchaktionen und eventuellen Angriffe abgesicherten Schlupfwinkel hätte Ker Karraje nicht finden können.

Und so wurde dieser Felsbrocken des Bermudischen Archipels, an dem schon früher Seeräuber gehaust hatten, das Nest einer noch weit gefährlicheren Bande.

Nachdem die Beute von den verschiedenen Lagerplätzen nach *Back Cup* gebracht worden war, richteten sich Graf d'Artigas und seine Kumpane unter der Wölbung der Höhle häuslich ein – das Resultat habe ich gesehen. Der Ingenieur Serkö baute das elektrische Kraftwerk, ohne dabei auf Maschinen zurückzugreifen, deren Herstellung auswärts Verdacht erwecken konnte. Er verwendete nur leicht transportable und montierbare Batterien, die aus Metallplatten und gewissen Chemikalien bestehen und welche die *Ebba* in allen Häfen der Vereinigten Staaten risikolos kaufen konnte.

Nun ist auch leicht zu erraten, was sich in der Nacht vom Neunzehnten auf den Zwanzigsten abgespielt hatte: Der Dreimaster, der unter völliger Windstille lag, konnte bei Tagesanbruch gar nicht mehr vorhanden sein. Der *Tug* hatte ihn gerammt, dann hatte ihn die Goélette angegriffen und ausgeraubt, anschließend war er mit seiner Besatzung untergegangen. Der wertvolle Teil seiner Ladung war auf die *Ebba* gebracht worden, bevor er in den Tiefen des Atlantiks versank.

In was für Hände bin ich gefallen! Und wie wird dieses Abenteuer ausgehen?! Ob ich jemals aus dem Gefängnis von *Back Cup* entkommen –

den falschen Grafen d'Artigas entlarven und die Meere von Ker Karraje und seinen Piraten säubern kann?

Und nun stelle man sich vor, dieser erbarmungslose Ker Karraje käme auch noch in den Besitz des Fulgurator Roch! Damit könnte er hundertfach schrecklichere Verbrechen begehen! Hat er erst diese neue Vernichtungswaffe an Bord, kann ihm kein Schiff mehr entkommen; nicht einmal ein Kreuzer vermag der völligen Zerstörung zu entgehen!

Stundenlang stehe ich unterm Druck der Erinnerung an den Namen Ker Karraje. Alles, was ich über den berüchtigten Piraten erfahren hatte, lebt in meinem Gedächtnis wieder auf. Seine Raubzüge in den Gewässern des Pazifik, die Expeditionen, die von allen Seemächten zur Aufbringung seines Schiffes durchgeführt wurden, schließlich die Erfolglosigkeit aller Maßnahmen und Versuche.

Und wie es dann – nach einer Atempause von wenigen Jahren – wieder losging. Immer häufiger verschwanden Schiffe – diesmal im Atlantik vor der amerikanischen Küste: Karraje spielte seine grausige Tragödie auf einer neuen Bühne! Schon hatte man geglaubt, man sei ihn los – da setzte er seine tödlichen Fahrten auf dem verkehrsreichsten Meer der Welt fort – mit seinem *Tug*, den man in den Gewässern vor Charleston versunken glaubte.

Ich sage mir: ›Jetzt kenne ich seinen wahren Namen und das Nest seiner Bande: Ker Karraje und *Back Cup*!‹

Ingenieur Serkö hat diesen Namen vor mir ausgesprochen. Also muß er dazu ermächtigt worden sein. Will man mir damit zu verstehen geben, daß jede Hoffnung auf Flucht und Freiheit Illusion ist?

Der Ingenieur mußte den Eindruck bemerkt haben, den die Nennung des Namens auf mich machte. Ich erinnere mich, daß er von mir zur Wohnung Karrajes ging – wahrscheinlich, um ihm den Vorfall zu melden.

Ich setze meinen Spaziergang fort und will schließlich zurück zu meiner Zelle. Da höre ich hinter mir ein Geräusch.

Ich drehe mich um.

Graf d'Artigas kommt in Begleitung von Kapitän Spade. Er wirft mir einen durchbohrenden Blick zu. Ich kann mich nicht mehr beherrschen, und ich stoße in aufkommender Wut und Verzweiflung die Worte hervor:

»Herr Graf, Sie sperren mich hier ein – und das ist gegen jedes Recht! Und wenn Sie mich aus *Healthful House* wegschleppen ließen, weil ich Thomas Roch hier weiter pflegen soll, so weigere ich mich hiermit! Und ersuche Sie, mich umgehend zurückzuschicken!«

Der Piratenhäuptling bewegt sich nicht und sagt kein Wort.

Und meine Wut steigert sich ins Maßlose:
»Antworten Sie, Graf d'Artigas! Oder vielmehr – ich weiß ja inzwischen, wer Sie sind! – Geben Sie mir also endlich Antwort – Ker Karraje!«
Und er gibt mir Antwort:

»Der Graf d'Artigas ist Ker Karraje. Und der Wärter Gaydon ist der Ingenieur Simon Hart. – Und dieser Simon Hart kann von Ker Karraje, dessen sämtliche Geheimnisse er kennt, nicht erwarten, daß er ihn freiläßt!«

ELFTES KAPITEL

FÜNF WOCHEN

Meine Lage ist klar: Ker Karraje weiß, wer ich bin. Er kannte mich schon, als er die doppelte Entführung Thomas Rochs und seines Pflegers in Angriff nahm.

Wie ist dieser Mensch dazu gekommen? Wie konnte er erfahren, was ich dem gesamten Personal von *Healthful House* zu verheimlichen wußte? Wie konnte er ahnen, daß es ein französischer Ingenieur war, der die Pflege von Thomas Roch übernommen hatte? Ich weiß nicht, wie das geschehen konnte – ich weiß nur, daß es geschehen ist.

Offenbar beschaffte sich der Mann alle notwendigen Informationen, die ihn wohl einiges gekostet haben, dafür aber auch um so wertvoller waren. Und ein Mensch seines Schlages scheut keine Unkosten, wenn er etwas erreichen will.

Dieser Ker Karraje – oder vielmehr sein Komplize Serkö – wird also von jetzt an meine bisherigen Funktionen als Pfleger des Erfinders Thomas Roch übernehmen. Ob er wohl mehr erreicht als ich? Der Himmel verhüte es – und erspare damit der zivilisierten Welt die Katastrophe!

Die letzten Worte Ker Karrajes habe ich nicht beantwortet. Sie trafen mich wie eine Kugel mitten in die Brust. Aber der Schlag hat mich nicht umgeworfen, wie der angebliche Graf vielleicht erwartete.

Nein, ich habe dem Blick seiner unheimlich glänzenden Pupillen standgehalten. War vor ihm gestanden – aufrecht – die Arme vor der Brust gekreuzt, so wie er vor mir. Und doch – er war mein Herr über Leben und Tod. Ein Wink von ihm – ein Revolverschuß, und ich wäre vor seinen Füßen gelegen. Man hätte meine Leiche in die Lagune geworfen, die nächste Ebbe hätte sie durch den Tunnel ins Meer hinausgespült.

Nach diesem Vorfall ließ man mich unbehelligt wie bisher. Von irgendwelchen Maßnahmen gegen mich war nichts zu bemerken. Ich konnte gehen, wohin ich wollte – auch in den Wald von Felsenpfeilern bis in die letzten Winkel der Höhle, die – und das ist nur zu offenkundig – als einzigen Ausgang den Tunnel hat.

Ich schlendere zurück zu meiner Grotte am Ende von Bee-Hive, und tausend Gedanken und Ideen, die sich aus meiner neuen Lage ergeben, schießen mir kreuz und quer durch den Kopf. Ich sage mir:

Wenn Ker Karraje auch weiß, daß ich der Ingenieur Simon Hart bin, so darf er doch auf keinen Fall erfahren, daß ich gegebenenfalls die genaue geographische Lage von *Back Cup* angeben könnte.

Was seine Bemerkung angeht, ich solle hier die Pflege Thomas Rochs weiterführen, so kann ich mir nicht vorstellen, daß das jemals seine ernsthafte Absicht gewesen sein soll, nachdem er wußte, wer ich wirklich war. Bis zu einem gewissen Grad bedaure ich das. Zweifellos wird Ingenieur Serkö den Erfinder jetzt mit allen Mitteln bearbeiten und nichts unversucht lassen, um in den Besitz der Zusammensetzung des Treibstoffs und des Zünders zu kommen. Denn man will ihn ja herstellen und dann, bei künftigen Raubzügen, schonungslos Gebrauch davon machen. – Ja, ich wäre hier gern wieder der Pfleger von Thomas Roch – so wie in *Healthful House.*

Die nächsten vierzehn Tage habe ich meinen ehemaligen Pflegling nicht ein einziges Mal zu Gesicht bekommen. Dabei hat mich, ich wiederhole es, niemals irgend jemand an meinen täglichen Spaziergängen gehindert. Um mein physisches Wohlergehen brauche ich mir keine Sorgen zu machen. Ich muß mich nicht einmal darum kümmern. Meine Mahlzeiten kommen mit militärischer Pünktlichkeit aus der Küche des Grafen d'Artigas – an diesen Namen und Titel bin ich schon so gewöhnt, daß ich ihn manchmal noch verwende. Nun bin ich, was Essen und Trinken angeht, nicht übertrieben anspruchsvoll, aber es wäre auch ungerecht, mich in irgendeiner Weise zu beklagen. Die Ernährung läßt wirklich, dank den Vorräten, die sich mit jeder Reise der *Ebba* erneuern, absolut nichts zu wünschen übrig.

Glücklicherweise habe ich hier auch die Möglichkeit, mir die vielen langen Stunden der Untätigkeit durch ausführliche Eintragungen in mein Taschenbuch zu verkürzen. Ich notiere jede einzelne Begebenheit seit meiner Entführung aus *Healthful House* und führe meine Anmerkungen von Tag zu Tag weiter. Und diese Arbeit will ich auch fortsetzen, solange man mir nicht die Feder aus der Hand reißt. Vielleicht wird es einmal dieses Tagebuch sein, das die Geheimnisse von *Back Cup* enthüllt.

Vom 5. bis zum 25. Juli – Drei Wochen sind um, und nicht ein einziges Mal ist es mir geglückt, an Thomas Roch heranzukommen. Sicher tut man alles, um ihn meinem Einfluß zu entziehen – so wirkungslos dieser bis jetzt auch gewesen war. Ich habe nur die einzige Hoffnung, daß auch Graf d'Artigas, Ingenieur Serkö und Kapitän Spade nur Zeit und Mühe verschwenden werden, ohne etwas zu erreichen.

Drei- oder viermal konnte ich beobachten, wie Thomas Roch und Ingenieur Serkö miteinander umhergingen. Es sah aus, als machten sie einen

Spaziergang, wobei Serkö auf Roch einzureden und jener aufmerksam zuzuhören schien. Der Ingenieur zeigte dem Erfinder die ganze Höhle, führte ihn auch zum Elektrizitätswerk, und zuletzt stiegen sie miteinander in den *Tug*, vermutlich um die Maschinen zu besichtigen. Thomas Rochs Geisteszustand hat sich seit seiner Entführung aus *Healthful House* ganz offensichtlich gebessert.

Er hat in der Felswohnung Ker Karrajes ein eigenes Zimmer. Ich zweifle nicht, daß er Tag und Nacht beobachtet und belauscht wird – besonders von Ingenieur Serkö. Wahrscheinlich wird man ihm jetzt bald die ungeheure Summe bieten, die er für seinen Fulgurator verlangt. Wird er noch die Kraft haben, zu widerstehen? Kann er sich unter dem Wert des Geldes überhaupt noch etwas vorstellen? Diese Schurken können ihm ja mit all ihrem zusammengestohlenen Gold vollends den Kopf verdrehen. Wird er dann in seinem labilen Zustand nicht doch in irgendeiner schwachen Stunde sein Geheimnis preisgeben?

Dann wäre für die Banditen alles sehr einfach: Man würde nach *Back Cup* die nötigen Rohstoffe einführen, und Thomas Roch könnte in aller Ruhe seine chemischen Arbeiten vollenden. Was das Material angeht, so könnte man die Apparate in verschiedenen Werkstätten auf dem Festland bestellen und anfertigen lassen – und erst hier zusammenbauen. So käme nirgends auch nur der geringste Verdacht auf. – Mir sträuben sich die Haare bei dem Gedanken, was die Welt dann zu erwarten hätte!

Diese unerträglichen Gedanken lassen mir keine ruhige Stunde mehr. Sie nagen an mir, meine Gesundheit leidet. Die Luft im Innern von *Back Cup* ist leicht und sauber, und trotzdem bin ich manchmal am Ersticken. Mir ist, als wollten mich diese dicken Felswände unter ihrer Masse begraben. Und dann diese völlige Abgeschiedenheit von der Welt, als sei ich irgendwo außerhalb – und tatsächlich habe ich ja auch keine Ahnung mehr, was jenseits der Ozeane vor sich geht! Ach könnte ich doch fliegen – durch die Öffnung über der Lagune – und draußen hinunterklettern, an den Strand – und dann übers Meer schwimmen –!

Am Morgen des fünfundzwanzigsten Juli begegne ich endlich Thomas Roch. Er steht allein am gegenüberliegenden Ufer. Ich hoffe, daß Ker Karraje, Ingenieur Serkö und Kapitän Spade heute irgendeine ›Expedition‹ draußen in den Gewässern von *Back Cup* durchführen – ich habe sie nämlich seit gestern abend nicht mehr gesehen.

Ich gehe hinüber zu Thomas Roch und kann ihn mir genau anschauen, bevor er mich bemerkt.

Sein ernstes, nachdenkliches Gesicht ist nicht mehr das eines Irren. Er geht langsam hin und her, den Blick vor sich auf dem Boden. Unterm Arm trägt er ein mit Papier bespanntes Reißbrett, auf dem Zeichnungen und Formeln skizziert sind.

Plötzlich hebt er den Kopf, kommt mir einen Schritt entgegen und erkennt mich.

»Ah – du – Gaydon!« ruft er, »siehst du, ich bin dir doch entwischt! – Ja, ich bin frei!«

Er mag sich wirklich frei fühlen – in *Back Cup* jedenfalls freier als in *Healthful House*. Aber meine Gegenwart scheint in ihm unerfreuliche Erinnerungen wachzurufen – hoffentlich kommt es nicht wieder zu einem Anfall!

Mit steigender Erregung fährt er fort:

»Ja – du, Gaydon! – Aber komm mir nicht zu nahe – bleib dort! – Ich weiß, du willst mich nur wieder einfangen, wieder in dieses Irrenhaus bringen! – Aber das kannst du nicht! Hier hab' ich Freunde, und die passen auf! Die verteidigen mich! Und sie sind reich – und mächtig! – Graf d'Artigas ist mein Teilhaber! Ingenieur Serkö ist mein Mitarbeiter! Wir werden miteinander meine Erfindung ausbeuten!

Ja – hier wird er gebaut, mein Fulgurator! – Geh – los – geh weg!«

Dabei hat er sich wirklich in Wut geredet. Seine Stimme überschlägt sich, er fuchtelt mit den Armen und zieht dann ein Paket Dollarscheine und Banknoten aus der Tasche. Er wühlt weiter in seinen Taschen und streut englische, französische, amerikanische und deutsche Goldstücke vor sich hin. Woher sollte er dieses Geld haben, wenn nicht von Ker Karraje – und um den Preis des Geheimnisses, das er verkauft hat?

Auf Thomas Rochs peinliches Geschrei hin kommen einige Männer, die uns schon von Anfang an beobachtet hatten. Sie fallen über Thomas Roch her, packen ihn und tragen ihn fort. Sowie er mich nicht mehr sieht, hört er sofort auf zu schreien und zu strampeln. Die Banditen stellen ihn auf die Beine, und er geht ruhig weiter.

27. Juli. Zwei Tage nach diesem Zwischenfall gehe ich unter der Morgendämmerung zum Ufer, wo an der Spitze des kleinen Steindammes der *Tug* seinen Ankerplatz hat.

Er ist nicht da – und schwimmt auch nirgends in der Lagune. Ker Karraje und Ingenieur Serkö waren übrigens nicht, wie ich angenommen hatte, auf Kaperfahrt gewesen – ich habe sie am Abend noch gesehen.

Heute jedoch habe ich allen Grund zu der Annahme, daß sie tatsächlich mit Kapitän Spade und seiner Mannschaft an Bord des *Tug* gingen, um sich draußen in der Bucht auf der Goélette einzuschiffen. Wahrscheinlich sind sie schon auf hoher See – vielleicht wieder, um ein Schiff aufzubringen. Aber es ist ebenso gut möglich, daß Ker Karraje – auf seiner Luxusjacht natürlich Graf d'Artigas – diesmal die Küste anlaufen will, um das benötigte Rohmaterial zur Herstellung des Fulgurator Roch zu besorgen.

O wenn ich nur einen Weg wüßte, mich an Bord des *Tug* zu schleichen, dann ungesehen auf die *Ebba* überzuwechseln und mich dort zu verstecken, bis wir den ersten Hafen erreicht hätten! Vielleicht könnte ich dann fliehen und die Welt von dieser schrecklichen Horde befreien!

Man sieht, was für utopische Gedanken mich Tag und Nacht heimsuchen in meiner Verzweiflung. – Fliehen! Um jeden Preis aus diesem Piratennest ausbrechen! Aber der einzige Weg führt durch den Unterwassertunnel – und ist es nicht Wahnsinn, heller Wahnsinn, an diese Möglichkeit auch nur zu denken? Aber es gibt ja kein anderes Mittel, aus *Back Cup* zu fliehen!

Ich bin noch mitten in diesen verrückten Gedanken und Vorstellungen, da teilt sich das Wasser der Lagune etwa zwanzig Meter von der Mole – und das Unterseeboot taucht auf. Der Lukendekkel wird sofort hochgeklappt, der Maschinist Gibson und ein paar seiner Leute klettern auf die Plattform. Andere kommen an die Uferfelsen und fangen die Wurfleine auf. Sie ziehen den *Tug* an seinen gewohnten Ankerplatz.

Diesmal segelt die Goélette also ohne ihren Schlepper, der nur hinausgefahren ist, um Ker Karraje mit seinen Kumpanen an Bord der *Ebba* zu bringen und diese dann durch den Fjord ins Meer zu lotsen.

Das bestärkt mich in meiner Vermutung, daß diese Reise kein anderes Ziel haben kann als einen amerikanischen Hafen, wo Graf d'Artigas die zur Mischung des Sprengstoffes benötigten Ingredienzen kaufen und die Fabrikation der Maschinenteile in Auftrag geben kann. Zu irgendeinem vereinbarten Termin wird die Goélette zurück sein, dann fährt der *Tug* wieder hinaus, bugsiert die *Ebba* in ihr Versteck – und Ker Karraje kehrt heim nach *Back Cup*.

Der Schurke ist also schon dabei, seine Pläne zu realisieren – und alles geht viel schneller, als ich vermuten konnte.

3. August. Heute war in der Lagune ein merkwürdiges und sicher auch sehr seltenes Schauspiel zu sehen.

Am Nachmittag gegen drei Uhr bilden sich plötzlich starke Wirbel in der Lagune. Das Wasser sprudelt etwa eine Minute lang, dann wird es zunächst wieder ruhig. Aber nach zwei bis drei Minuten fängt es wieder an – diesmal genau in der Mitte der Lagune.

Von diesem unerklärlichen Phänomen angelockt, strömen die Seeräuber am Uferstreifen zusammen. Sie wundern sich über diese Erscheinung offensichtlich ebenso sehr wie ich und rufen einander zu. Mir scheint, sie sind sehr erschreckt und beunruhigt.

Der *Tug* kann unmöglich die Ursache dieses Sprudelns im Wasser sein – denn er liegt sicher vertäut an seiner Mole. Und daß irgendein anderes Unterseeboot den Tunnel gefunden und die Lagune erreicht haben sollte, ist mehr als unwahrscheinlich.

Inzwischen schallen die Rufe der Männer kreuz und quer über die Lagune. Rauhe Stimmen in einer mir unbekannten Sprache – aber nach diesem kurzen Gebrüll laufen einige nach Bee-Hive zurück.

Was wollen sie dort? Hat man in der Lagune etwa ein Seeungeheuer entdeckt und holt jetzt Waffen und Fanggeräte, um es zu erlegen?

Ich habe es erraten: Einen Augenblick später sehe ich sie an den Strand zurückkommen. Sie haben Flinten für Sprengmunition mitgebracht und an langen Fangleinen befestigte Harpunen.

Und tatsächlich – es ist ein Wal! Einer der bei den Bermudas so häufigen Kaschelotte oder Pottwale! Er kam durch den Tunnel geschwommen und tummelt sich jetzt mitten in der Lagune. Warum hat dieses Tier in der Höhle von *Back Cup* Schutz gesucht? Wurde es vielleicht draußen von Walfängern verfolgt?

Es dauert ein paar Minuten, dann taucht der Wal wieder auf. Man sieht, wie sich seine ungeheure, grünlich glänzende Masse wälzt, als wehre sie sich gegen einen furchtbaren Feind. Beim Hochtauchen schießen zwei Wasserfontänen senkrecht und zischend aus seinen Spritzlöchern.

›Wenn sich das Tier auf der Flucht vor Walfängern durch den Tunnel gezwängt hat‹, sage ich mir, ›dann muß ein Schiff vor *Back Cup* kreuzen! Vielleicht liegt es nur wenige Kabellängen vom Ufer? Seine Boote sind jedenfalls weit in die westlichen Fjorde eingefahren, um den Wal zu verfolgen! Und ich kann mich nicht bemerkbar machen!‹

Doch selbst wenn das möglich wäre, wie sollte ich durch die Felswand von *Back Cup* hindurch zu ihnen kommen?

Im übrigen klärt sich das mysteriöse Erscheinen des Pottwals sehr bald auf: Es sind nicht Fischer, die ihn jagten, sondern ein Rudel von Haien, jene furchtbaren Quermäuler, die das Meer rings um die Bermudas verseuchen.

Ich kann sie inzwischen deutlich erkennen. Immer fünf oder sechs gleichzeitig, werfen sie sich auf die Seite und reißen ihre gewaltigen Kinnladen auf, die mit gräßlich scharfen Zähnen bestückt sind wie eine Egge mit ihren Eisenspitzen. So stürzen sie sich auf den Wal, der sie nur mit wuchtigen Schwanzschlägen abwehren kann.

Aber er ist schon schwer verwundet, und das Wasser um ihn färbt sich rötlich. Und ob er taucht oder sich auf der Oberfläche wälzt, er kann den Bissen der Quermäuler nicht ausweichen.

Sieger dieses Kampfes werden jedoch nicht diese gefräßigen Räuber sein. Die Beute wird ihnen abgejagt werden, denn der Mensch mit seinen Waffen ist stärker. Am Ufer stehen die Kumpane Ker Karrajes, die allerdings auch nicht besser sind als Haifische. Seeräuber oder Tiger des Meeres – da ist kein Unterschied. Und sie werden versuchen, den Kaschelott zu fangen – als fette Beute für die Bewohner von *Back Cup.*

In diesem Augenblick schwimmt der Wal zu der Mole hin, wo der malaiische Leibwächter des Grafen d'Artigas und ein paar andere besonders starke Kerle stehen.

Der Malaie hebt seine Harpune, die an einer langen Leine hängt. Er schwingt sie, zielt – und schleudert sie dann mit ebenso viel Kraft wie Geschicklichkeit auf den Wal.

Der geht, an der linken Flosse schwer getroffen, sofort unter Wasser, verfolgt von den Haien, die ihm ebenso schnell nachtauchen. Die Harpunenleine rollt in ihrer ganzen Länge von etwa fünfzig bis sechzig Metern ab. Sie braucht jetzt nur wieder aufgewunden zu werden. Damit zieht sie den Wal aus der Tiefe herauf – er wird an die Oberfläche kommen und verenden.

Und so geschieht es auch. Der Malaie und seine Helfer lassen sich dabei viel Zeit, um dem Wal nicht etwa den Widerhaken der Harpune aus dem Fleisch zu reißen. Und bald kommt das Tier auch an der Felswand, unter der die Tunnelöffnung liegt, zum Vorschein.

Tödlich verletzt, wirft sich das gewaltige Säugetier in wütender Agonie umher und stößt dabei Dampfgarben und mit Blut vermischte Luft- und Wassersäulen aus. Mit einem fürchterlich zuckenden Schlag schleudert es noch eines der Quermäuler auf das Felsenufer.

Durch diesen Stoß hat sich die Harpune nun doch aus der Flanke des Pottwals herausgerissen, und dieser taucht noch einmal. Als er dann zum letztenmal wieder hochkommt, peitscht er das Wasser so furchtbar mit dem Schwanz, daß für einen Augenblick ein Teil der Tunnelmündung frei wird.

Die Haie wollen sich nun über ihr Opfer hermachen. Aber ein Hagel von Geschossen trifft die einen und vertreibt die andern.

Wahrscheinlich hat das ganze Haifischrudel die Mündung wieder gefunden und konnte so *Back Cup* verlassen und das offene Meer gewinnen. Trotzdem wird es für die nächsten Tage nicht ratsam sein, in der Lagune zu baden.

Den Pottwal versuchen zwei Männer von einem Boot aus mit starken Tauen festzubinden. Es gelingt; das Tier wird an die kleine Steinmole herangezogen und dort später von dem Malaien, der in dieser Arbeit kein Neuling zu sein scheint, ausgeschlachtet. Nun kenne ich wenigstens genau die Stelle, wo der Tunnel die westliche Felswand durchbricht. Die Mündung befindet sich nur drei Meter unter der Wasseroberfläche. Aber was nützt mir das alles?

7. August. Zwölf Tage, seit Graf d'Artigas, Ingenieur Serkö und Kapitän Spade auf großer Fahrt sind. Und noch deutet nichts auf eine bevorstehende Rückkehr der Goélette. Doch konnte ich feststellen, daß sich der *Tug* – wie ein Schiff unter Dampf – immer zum Auslaufen bereit hält: Maschinist Gibson hat alle Batterien aufladen lassen und hält sie unter Spannung.

Ich nehme an, daß Ker Karraje und sein Gefolge während der Nacht zurückkommen. Denn wenn die Goélette auch ohne Bedenken jeden beliebigen Unionshafen am hellichten Tag anlaufen kann, so wird sie doch den Abend wählen, um ihren Schlupfwinkel im Fjord vor *Back Cup* anzusteuern.

10. August. Wie ich vermutet hatte, ist gestern abend gegen acht Uhr der *Tug* getaucht und verschwunden. So konnte er den Tunnel rechtzeitig passieren, um die *Ebba* noch vor Beginn der Dunkelheit einzuschleppen und dann ihre Besatzung aufzunehmen und nach *Back Cup* zu schleusen.

Heute bemerke ich bei meinem ersten Rundgang den Ingenieur Serkö und Thomas Roch. Sie gehen zur Lagune hinunter und reden miteinander. Worüber sie sich unterhalten, kann ich mir denken! Ich halte mich in einem Abstand von etwa zwanzig Schritten – so ist es mir möglich, meinen ehemaligen Pflegling wenigstens zu beobachten.

Seine Augen leuchten, seine Stirn hellt sich auf und sein Gesicht gewinnt an Ausdruck, während Ingenieur Serkö seine Fragen beantwortet. Er ist offenbar sehr ungeduldig und hat es eilig, zur Mole hinüberzukommen.

Serkö kann ihm kaum folgen – und endlich stehen beide am Ufer neben dem *Tug*.

Matrosen löschen die Ladung und stapeln zehn Kisten mittlerer Größe zwischen die Felsen.

Eigenartig: Auf die Deckel dieser Kisten sind mit roter Farbe große Anfangsbuchstaben gemalt – Thomas Roch registriert das mit wachsendem Interesse.

Schließlich gibt Ingenieur Serkö den Befehl, die Kisten – deren jede etwa einen Hektoliter faßt – ins Lager am linken Ufer zu schaffen, und ein Boot beginnt mit dem Transport.

Nach meiner Überzeugung müssen diese Kisten die Stoffe enthalten, deren Zusammensetzung oder Mischung den Sprengstoff und den Zünder ergeben.

Was die Maschinen angeht, so wurden diese inzwischen sicher in einer Fabrik auf dem Festland bestellt. Sobald sie fertig sind, wird die Goélette wieder auslaufen, sie abholen und nach *Back Cup* bringen.

Diesmal ist die Goélette nicht mit Kapergut zurückgekommen. Diesmal hat sie sich keiner neuen Pirateriem schuldig gemacht. Aber mit welch furchtbaren Machtmitteln – zum Angriff wie zur Verteidigung – wird der Seeräuber Ker Karraje in Zukunft die Ozeane tyrannisieren?! Wenn man Thomas Roch glauben darf, ist sein Fulgurator imstande, den ganzen Erdball mit einem Schlage zu vernichten. – Und wer weiß, ob er es nicht eines Tages versuchen wird?!

ZWÖLFTES KAPITEL

DER GUTE RAT DES INGENIEURS SERKÖ

Thomas Roch steckt tief in seiner Arbeit. Lange Stunden verbringt er täglich in dem Schuppen, den er sich am linken Ufer als Labor eingerichtet hat. Niemand außer ihm darf diesen Schuppen betreten.

Offensichtlich will er die Analysen ganz alleine durchführen und keinen in die Grundlagen einweihen. Was die Abschußvorrichtungen angeht, die zum Einsatz des Fulgurator Roch notwendig sind, so dürften sie meiner Ansicht nach relativ unkompliziert sein. Diese Art Projektil wird ja nicht aus einer Kanone oder einem Mörser abgefeuert – wie etwa das Zalinskische Geschoß. Vielmehr ist es autopropulsiv und entwickelt seine Schubkraft in sich selbst. Jedes Schiff, das in seinen Wirkungsbereich vorstößt, läuft Gefahr, allein von der entsetzlichen Stauung der Luftmassen zerrissen zu werden. Wer könnte noch etwas ausrichten gegen Ker Karraje, wenn dieser erst einmal im Besitz dieser mörderischen Vernichtungswaffe wäre?

11.–17. August. In dieser Woche hat Thomas Roch seine Arbeiten pausenlos fortgesetzt. Jeden Morgen geht der Erfinder in sein Labor und verläßt es nicht vor einbrechender Dunkelheit. An die Möglichkeit, ihn zu besuchen oder auch nur zu sprechen, ist gar nicht zu denken. Obwohl er nach wie vor für alles, was nicht unmittelbar mit seiner Erfindung zusammenhängt, keinerlei Interesse zeigt, scheint er inzwischen doch wieder völlig Herr seiner selbst zu sein. Warum sollte er auch nicht wieder vernünftig werden? Für ihn – den Erfinder – entwickelt sich doch alles sehr positiv! Endlich hat er die Genugtuung, anerkannt und seinen Forderungen entsprechend honoriert zu werden – und seine Pläne realisieren zu können!

Nacht auf den 18. August. Um ein Uhr morgens haben mich Detonationen außerhalb der Höhle aus dem Bett geworfen.

Ein Angriff auf *Back Cup*? Haben die seltsamen Kreuzfahrten der Goélette nun endlich doch Verdacht erweckt? Hat man sie gejagt – in den Fjord hinein verfolgt? Will man die Insel durch Geschützfeuer zerstören? Soll die Flamme der Gerechtigkeit das Wespennest also doch noch ausräuchern können, bevor Thomas Roch seine Raketen einsatzbereit hat und die Abschußrampen fertig sind?

Unentwegt und in fast regelmäßigen Abständen donnern draußen die Detonationen. Ich muß daran denken, daß mit einem etwaigen Ausfall der Goélette *Ebba* jede Verbindung mit dem Festland abgeschnitten und die Versorgung der Insel praktisch unmöglich würde.

Denn der *Tug* könnte zwar den Grafen selbst nach irgendeinem Hafen der amerikanischen Küste bringen – und das Geld zum Bau einer neuen Luxusjacht war vorhanden –, aber was soll's: Dem Himmel sei Dank, wenn er dafür sorgt, daß *Back Cup* zerstört wird, bevor Ker Karraje den Fulgurator Roch einsetzen kann.

Am Morgen stehe ich sehr früh auf und stürze aus meiner Zelle.

In der Umgebung von Bee-Hive hat sich nichts verändert.

Die Leute gehen ihren gewohnten Arbeiten nach. Der *Tug* liegt an seiner Mole. Thomas Roch ist auf dem Weg zu seinem Labor. Ker Karraje und Ingenieur Serkö spazieren unten die Lagune entlang: Also kein Angriff auf die Insel in der vergangenen Nacht! – Aber da waren doch Explosionen in nächster Nähe, die mich aus dem Schlaf gerissen haben?

Ker Karraje geht gerade zu seiner Wohnung zurück – und Ingenieur Serkö wendet sich mir zu – und grinst mich dabei wieder einmal aus spöttischen Mundwinkeln an:

»Na, Simon Hart«, fängt er an, »haben Sie sich endlich mit Ihrem geruhsamen Leben in unserer Ferienkolonie abgefunden? Lernen Sie endlich die Vorzüge unsrer bezaubernden Grotte gebührend zu würdigen? Geben Sie endlich die Hoffnung auf, heute oder morgen unserm entzückenden Kellerlokal den Rücken zu kehren?« Und er schließt seine Tirade mit einer weit ausladenden Geste und summt dabei ein altes französisches Liedchen:

»diese heimlichen Gestade zu verlassen,
wo mein schönheitstrunk'ner Geist
Sylvia zu betrachten liebte – –«

Wozu sollte ich diesen Schwätzer verärgern? Ich antworte ruhig:

»Nein, Monsieur, ich habe die Hoffnung nicht aufgegeben. Ich erwarte immer noch, daß man mich wieder freiläßt.«

»Aber Monsieur Hart! Sollen wir uns wirklich von einem Manne trennen, den wir alle so verehren? Und soll ich einen Kollegen gehen lassen, der vielleicht damals, als Thomas Roch noch verrückter war als jetzt, etwas von seinen Geheimnissen erfahren hat? Das ist doch nicht Ihr Ernst?«

Aha! – Das ist es also, was mich in *Back Cup* gefangenhält: Sie fürchten, daß mir die Erfindung Thomas Rochs teilweise bekannt ist. Und sie hoffen, daß sie – falls Thomas Roch doch einmal Schwierigkeiten machen sollte – mich an seiner Stelle zum Reden zwingen können. Deshalb haben sie mich bei seiner Entführung mitgenommen, deshalb haben sie mich noch nicht mit einem Stein am Hals in die Lagune geworfen. Immerhin gut, daß ich jetzt so viel weiß.

Dem Ingenieur Serkö erwidere ich auf seine letzten Worte:

»Doch – das ist mein voller Ernst!«

»Nun«, meint er darauf, »wenn beispielsweise ich die Ehre hätte, der Ingenieur Simon Hart zu sein, dann würde ich mir etwa folgendes durch den Kopf gehen lassen: Ich kenne jetzt diesen Ker Karraje. Ich weiß, warum er diesen unauffindbaren Schlupfwinkel ausgesucht hat und warum dieser Schlupfwinkel unauffindbar bleiben muß – nicht nur im Interesse des Grafen d'Artigas, sondern auch seiner Mitarbeiter –«

»Komplizen bitte!« werfe ich ein.

»Meinetwegen, seiner Komplizen! Jedenfalls – müßten Sie sich eigentlich sagen – weiß ich zu viel! Seinen Namen, den Tresor, wo er sein Gold hat –«

»Gestohlenes – blutbesudeltes Gold!«

»Ja – schön! – Mann, begreifen Sie denn nicht, daß Sie niemals wieder frei werden – wenigstens nicht so, wie Sie sich das vorstellen?!«

Zwecklos, unter solchen Voraussetzungen weiter zu diskutieren. Ich lenke das Gespräch auf ein anderes Thema.

»Darf ich wissen«, frage ich, »wie Sie dahinterkamen, daß der Pfleger Gaydon der Ingenieur Simon Hart war?«

»Das will ich Ihnen gern sagen, lieber Herr Kollege: Wir verdanken es ein bißchen dem Zufall. Wir hatten gewisse Kontakte zu der Fabrik, in der Sie beschäftigt waren – und erfuhren, daß Sie mit einer ziemlich fadenscheinigen Begründung gekündigt hatten. Dann schaute ich mir einmal – Monate vor unserem offiziellen Besuch – das Sanatorium *Healthful House* an, sah Sie dort – und erkannte Sie –«

»Sie – waren schon vorher –?«

»Ja! Und in dieser Minute gelobte ich mir feierlich: Simon Hart muß mein Reisebegleiter an Bord der Goélette *Ebba* werden!«

Ich erinnere mich zwar nicht, Serkö jemals in *Healthful House* gesehen zu haben – aber es ist schon möglich, daß er die Wahrheit sagt.

›Hoffentlich‹ – so denke ich – ›wird dich die Idee, mich mitzunehmen, früher oder später noch teuer zu stehen kommen!‹

Und ich frage ihn direkt:

»Wenn nicht alles täuscht, ist es euch gelungen, Thomas Roch seinen Fulgurator abzukaufen.«

»O ja – er hat viele Millionen gekostet!« Und er lacht: »Aber diese vielen Millionen kosten uns ja nur ein paar kleine Spazierfahrten!« Und – mit einer wegwerfenden Handbewegung: »Wir haben ihm alle Taschen vollgestopft!«

»Was nützen sie ihm – diese Millionen, wenn er nicht frei ist – sie nicht mitnehmen und nicht ausgeben kann?«

»Daran denkt er nicht, Monsieur Hart! Dieses Genie macht sich keine Sorgen um die Zukunft! Er lebt nur für den Augenblick – und der sieht so aus: Drüben in Amerika stellt man nach seinen Zeichnungen die Fertigteile her, hier im Labor fabriziert er den Treibsatz und den Sprengstoff. Mit den Chemikalien, die er dazu braucht, ist er reichlich eingedeckt. – Ach, sie ist schon großartig – diese Rakete, die ihre Geschwindigkeit selber entwickelt und bis ins Ziel hinein sogar noch steigert! Es ist eine Art Pulver mit wachsendem Rückstoßeffekt! – Dieses Geschoß wird die bisherige Strategie völlig auf den Kopf stellen!«

»– die defensive, Monsieur Serkö?«

»– und die offensive, Monsieur Hart!«

»– natürlich!« bestätige ich.

Aber ich will noch mehr wissen und frage weiter:

»Was bei Thomas Roch bisher also niemand erreichen konnte –«

»– das haben wir geschafft – ohne größere Schwierigkeiten!«

»– und zahlten dafür –«

»– einen unwahrscheinlich hohen Preis. – Zudem mußten wir noch seine empfindlichste Saite anschlagen!«

»Was für eine Saite?«

»Die der Rache!«

»Rache – an wem?«

»An allen, die sich ihm zum Feind gemacht haben. Alle, die ihn beleidigt haben, abgekanzelt, davongejagt – gezwungen, um sein Geld zu betteln für eine umwerfende Erfindung und mit ihr von einem Land zum andern zu laufen! Jetzt ist jedes Gefühl des Patriotismus in ihm ausgerottet – tot! Er hat nur noch ein Ziel, einen fanatischen Wunsch: sich an allen, die ihn verkannt haben, zu rächen! Es der ganzen Menschheit heimzuzahlen, was sie an ihm verbrochen hat. – Ja Monsieur Hart, da haben Ihre Regierungen in Europa und Amerika schon eine unverzeihliche Dummheit begangen – als sie für den Fulgurator Roch nicht bezahlen wollten, was er wert war!«

Und dann beschreibt mir Ingenieur Serkö begeistert die verschiedenen Vorzüge des neuen Sprengstoffs, der dem herkömmlichen, welcher aus Nitromethan durch Substitution von einem Atom Natrium mit einem der drei Atome des Wasserstoffs gewonnen wird, zweifellos überlegen ist.

»Und seine Wirkung!« fährt er fort. »Sie beruht auf dem System des Zalinskischen Geschosses – übertrifft es aber um das Hundertfache – und erfordert keine Kanone, weil der Fulgurator sozusagen mit eigenen Flügeln durch die Luft schwirrt!«

Ich höre interessiert zu, vielleicht verrät er mir doch irgend etwas von dem Geheimnis. – Aber nein, Ingenieur Serkö sagt nicht mehr, als er sagen will.

Trotzdem versuche ich es weiter: »Hat Ihnen Thomas Roch schon die Analyse seines Sprengstoffs bekanntgegeben?«

»Auch das, Monsieur Hart, und wir werden bald beträchtliche Vorräte haben – gut abgesichert, versteht sich!«

»Ist es nicht gefährlich – in verschiedener Hinsicht, solche Mengen Sprengstoff zu lagern? Ein dummer Zufall, und eine Explosion reißt das ganze Eiland von –«

Schon wieder hätte ich um ein Haar den Namen *Back Cup* ausgesprochen! Und wenn ich sowohl um die Identität Ker Karrajes wußte als auch die genaue Lage dieser Höhle angeben konnte, hielt man diesen Simon Hart vielleicht tatsächlich für besser unterrichtet, als es hier erwünscht war. Zum Glück ist es Ingenieur Serkö nicht aufgefallen, daß ich plötzlich abbrach – und so antwortet er mir ruhig:

»Wir haben nichts zu befürchten. Der Sprengstoff Thomas Rochs kann sich nur an einem Spezialdeflagrator entzünden. Feuchtigkeit und Hitze bringen ihn nicht zur Explosion.«

»Und Thomas Roch hat Ihnen auch das Geheimnis seines Deflagrators verkauft?«

»Noch nicht, Monsieur Hart – aber unsere Verhandlungen über dieses Projekt stehen auch kurz vor dem Abschluß. Ich kann also nur wiederholen, es besteht keinerlei Gefahr – Sie können ruhig schlafen. Tausend Teufel nochmal, wir haben doch selber keine Lust, mit unserer Höhle und unserm Gold und Silber in die Luft zu fliegen! Noch ein paar gute Jahre, und wir verteilen die Beute, und das ist genug für uns alle! Jeder hat ein hübsches, sicheres Vermögen – und mit dem kann er dann anfangen, was er will! – Das heißt – natürlich erst nach der Liquidation der Gesellschaft Ker Karraje und Kompanie! – Übrigens möchte ich noch sagen, daß wir nicht nur vor unerwünschten Explosionen sicher sind, sondern auch vor Verrat! – Denn Sie sind der einzige, der uns überhaupt denunzieren könnte, mein lieber Monsieur Hart! – Ich empfehle Ihnen also dringend – seien Sie vernünftig! Denken Sie praktisch und finden Sie sich damit ab, daß Sie zunächst einmal hübsch brav hierbleiben und die Auflösung unserer Aktiengesellschaft abwarten müssen. Hinterher werden wir sehen, was unsere Sicherheit erfordert – soweit das Ihre werte Person betrifft!«

Diese Andeutung klingt wieder nicht übertrieben beruhigend. Aber er hat recht, wir werden schon sehen! Festhalten muß ich jedenfalls sein Eingeständnis, daß Thomas Roch dieser sauberen Ker Karraje AG zwar seinen Sprengstoff verkaufte, die Formeln zur Herstellung der Zündmasse jedoch noch für sich behält – vorerst wenigstens. Und ohne Zündstoff hat das ganze Pulver nicht mehr Wert als der Staub auf den Landstraßen.

Bevor ich das Gespräch abbreche, sollte ich mir von Ingenieur Serkö vielleicht doch noch einen recht naheliegenden Verdacht bestätigen lassen.

»Monsieur Serkö«, sage ich, »Sie kennen jetzt also die Zusammensetzung des Fulgurator Roch – schön und gut! Wer sagt Ihnen aber, daß er auch tatsächlich die Zerstörungskraft besitzt, die ihm sein Erfinder zuschreibt? Wurden denn überhaupt schon Versuche damit angestellt? Haben Sie da nicht vielleicht ein Pülverchen gekauft, das ungefähr so viel taugt wie eine Prise Tabak?«

»Vielleicht wissen Sie mehr darüber, als Sie vorgeben, Monsieur Hart. Ich danke Ihnen jedenfalls für das Interesse, das Sie unseren Bemühungen entgegenbringen. Aber machen Sie sich auch darüber keine Sorgen – vergangene Nacht konnten wir die entscheidende Versuchsreihe durchführen: Wenige Gramm dieser neuen Substanz haben gewaltige Felsblöcke am Fuß der Insel in unfühlbaren Staub verwandelt.«

Das erklärt mir endlich die Ursache der Detonationen, die ich letzte Nacht gehört hatte.

»Also mein lieber Herr Kollege«, fährt Ingenieur Serkö fort, »ich kann Ihnen nur versichern, wir werden bestimmt keine Pleite erleben. Unser Sprengstoff hat all unsre Erwartungen noch weit übertroffen. Mit einer Ladung von etlichen tausend Tonnen wären wir glatt imstande, unseren Sphäroiden bruchstückweise in den Weltraum zu sprengen, wo diese Stückchen dann rotieren könnten wie die Reste des zwischen Mars und Jupiter zersprungenen Planeten. Seien Sie überzeugt – wir sind in der Lage, jedes Fahrzeug in einem Gebiet vom Durchmesser einer Meile zu vernichten, bevor wir in den Bereich seiner Geschosse kommen! Der kritische Punkt liegt bei unserer Erfindung lediglich noch im Regulieren der Flugweite, das ein ziemlich kompliziertes Einschießen erforderlich macht ...«

Ingenieur Serkö unterbricht sich – er möchte nicht weiter in die Details gehen – und lenkt ab:

»Ich schließe also wieder mit dem einzigen guten Rat, den ich Ihnen schon zu Anfang gegeben habe: Finden Sie sich mit der Situation ab! Fügen Sie sich bedingungslos und ohne Hintergedanken! Passen Sie sich an, genießen Sie die stillen Freuden unseres unterirdischen Daseins! Hier erhält man sich seine Gesundheit, wenn sie gut ist – und stellt sie wieder her, wenn sie schlecht war –, das hat sich bei Ihrem Landsmann gezeigt! Ergeben Sie sich in Ihr Schicksal – das ist das einzig Vernünftige, was Sie tun können!«

Mit diesen weisen Ratschlägen verläßt er mich.

Er grüßt noch einmal mit einer jovialen Geste wie ein Mann, der sich seines außerordentlichen Wertes bewußt ist. Aber diese Ironie – in allen Worten, in jedem Blick, in seinem ganzen Auftreten! Werde ich ihm seine Arroganz und seinen Sarkasmus je zurückzahlen können?

Eines konnte ich im Verlauf unserer Unterhaltung jedenfalls erfahren: Mit der Treffsicherheit ihrer neuen Waffe haben sie noch Schwierigkeiten! Wahrscheinlich ist also jener Kreis von einer Meile Durchmesser, in dem der Fulgurator Roch alles vernichtet, schwer zu bestimmen – und Schiffe außerhalb dieser Gefahrenzone sind der Wirkung der Rakete entzogen – oh, könnte ich doch wenigstens das überall publik machen!

20. August. Die letzten beiden Tage ist nichts Neues vorgefallen. Ich habe meine Erkundungsspaziergänge bis in die hintersten Winkel von *Back Cup* ausgedehnt. Am Abend, wenn die elektrischen Lampen die lange Flucht der Deckenwölbungen ausleuchten, versetzen mich die Naturwunder meines Höhlengefängnisses in eine Stimmung beinahe religiöser Andacht. Übrigens habe ich die Hoffnung immer noch nicht aufgegeben, irgendwo in den Wänden einen Riß zu entdecken, der den Seeräubern entgangen ist und durch den ich fliehen kann. Natürlich würde sich das in Bee-Hive bald herumsprechen – man käme, um mich wieder einzufangen. Aber – richtig – draußen liegt ja das Boot – das Beiboot der *Ebba*! Das ist irgendwo in der Bucht und nur an einen Stein gebunden. Wenn ich das finden könnte – über den Kanal rudern – nach Saint-Georges oder Hamilton –

Gestern abend – etwa gegen neun Uhr – saß ich ungefähr hundert Meter östlich der Lagune unter einem Steinpfeiler im Sand.

Da höre ich – ganz nah – erst Schritte, dann Stimmen.

Ich verstecke mich hinter der Felsensäule und spitze beide Ohren.

Die Stimmen erkenne ich sofort. Es sind die von Ker Karraje und Ingenieur Serkö. Die beiden Männer sind stehengeblieben und reden Englisch, wie die meisten in *Back Cup*. Ich werde sie also verstehen können.

Sie unterhalten sich über Thomas Roch und seinen Fulgurator.

»In acht Tagen«, sagt Ker Karraje, »will ich mit meiner *Ebba* wieder losfahren. Dann bringe ich die Fertigteile mit zurück – ich denke, die Fabrik in Virginia ist jetzt soweit!«

»Und sobald das Zeug da ist«, fährt Ingenieur Serkö fort, »gehen wir gleich an die Montage und bauen die Bocklafetten in die Abschußrampen ein. Vorher brauchen wir aber etwas anders, und das macht mir noch ziemlich Kopfzerbrechen.«

»Was ist das?« fragt Ker Karraje.

»Wir müssen die Wand durchbrechen!«

»Nach draußen?«

»Ja! – Ein ganz enger Gang genügt, durch den nur jeweils ein Mann durchkriechen kann. Eine Art Stollen, der leicht zu verbarrikadieren ist. Der Ausgang muß in den Uferfelsen versteckt sein.«

»Warum das?«

»Ich habe mich schon oft geärgert, daß es hier keinen Durchgang gibt – hinaus zum Ufer. Wer weiß – irgendwann kann etwas passieren –«

»Die Wände sind verdammt dick und hart«, bemerkt Ker Karraje.

»Mit ein paar Gramm von unserm neuen Sprengstoff«, antwortet Ingenieur Serkö, »zermahle ich die Felsen zu so feinem Staub, daß wir ihn bloß noch wegblasen müssen!«

Dieses Gespräch war für mich natürlich von ganz besonderem Interesse.

Man wollte also einen Verbindungsweg mit der Außenwelt in die Felswand sprengen – als zweite Möglichkeit neben dem Tunnel! Wäre das für mich nicht die Chance, auf die ich schon immer gewartet habe?

Ich bin noch mitten in diesen Überlegungen, da erwidert Ker Karraje seinem Ingenieur:

»Also – meinetwegen, Serkö! Wenn wir *Back Cup* tatsächlich mal zu verteidigen, den Angriff eines Schiffes abzuwehren hätten – aber da müßte unser Nest ja erst entdeckt werden – durch einen Zufall – oder Verrat –«

»Kann ich mir nicht vorstellen«, meint Ingenieur Serkö, »– weder den Zufall, noch den Verrat!«

»Unsere Leute halten dicht. Aber dieser Simon Hart –?«

»Ach – der!« lacht Serkö. »Der muß erst mal rauskommen, und aus *Back Cup* kommt keiner raus! Übrigens – auf den Burschen müssen wir verdammt aufpassen! Immerhin ist er Kollege – und ich werde den Verdacht nicht los, er weiß von der Rochschen Erfindung mehr, als er zugibt. Ich muß ihn mir noch mal vorknöpfen – mit ihm ein bißchen fachsimpeln – Physik, Mechanik, Ballistik und so weiter –, vielleicht werden wir uns sogar irgendwie einig und er macht dann mit?!«

»Unwichtig«, erwidert der vornehme und edle Graf d'Artigas: »Sobald wir alles wissen, wird es gut sein, wir legen ihn um!«

»Das hat noch Zeit, Ker Karraje!«

›– wenn Gott euch noch die Zeit läßt, ihr Bluthunde‹, denke ich und presse mir die Fäuste gegen die hämmernden Schläfen.

Und doch – was habe ich noch zu hoffen, wenn mir nicht in allernächster Zeit die Vorsehung selber zu Hilfe kommt?

Inzwischen haben sie das Thema gewechselt – Ker Karraje sagt gerade:

»Jetzt, wo wir die Zusammensetzung des Sprengstoffs kennen, Serkö, muß uns Thomas Roch unbedingt noch die Analysen für die Zündmasse ausliefern!«

»Natürlich brauchen wir die auch«, antwortet Ingenieur Serkö, »und ich werde ihn schon noch so weit bringen. Im Augenblick kann man mit ihm noch nicht darüber reden. Aber er hat ja schon ein paar Tropfen von dieser Zündflüssigkeit hergestellt, mit denen wir unsere Versuche gemacht haben. Und er muß uns mehr davon liefern, wenn wir den Stollen durchbrechen.«

»Schön und gut – aber für unsere Kaperfahrten –«

»Geduld, Ker Karraje – am Ende werden wir das ganze Feuerwerk seines Fulgurators unter Kontrolle haben!«

»Bist du ganz sicher, Serkö?«

»Völlig! Es geht ja nur noch um den Kaufpreis!«

Mit diesen Worten schloß ihr Gespräch. Die beiden Männer gingen weg – und ich war sehr erleichtert, daß sie mich nicht bemerkt hatten. Wenn Ingenieur Serkö auch ein klein wenig für seinen Kollegen eingetreten war, so scheint es mit dem Wohlwollen des Grafen mir gegenüber nicht weit her zu sein. Der geringste Verdacht – und ich liege in der Lagune! Auf die Weise komme ich dann zwar sehr bald durch den Tunnel – aber es ist dann leider nur ein Kadaver, den die Strömung der Ebbe hinausspült.

21. August. Gleich am folgenden Tag untersuchte Ingenieur Serkö die Wand, um die beste Stelle für den Durchbruch zu finden – so daß auch der Ausgang zwischen den Felsen unsichtbar blieb. Nach eingehender Inspektion entschied er sich für die Nordwand, etwa zehn Meter neben den äußersten Zellen von Bee-Hive.

Ich erwarte ungeduldig die Sprengung. Denn dieser Stollen könnte meine Chance werden. – Wenn ich nur besser schwimmen könnte! Vielleicht hätte ich dann schon versucht, durch den Tunnel zu tauchen, von dem ich jetzt genau weiß, wo er einmündet. Während des Kampfes in der Lagune hatte sich ja unter dem letzten Aufbäumen des Wals das Wasser so stark geteilt, daß die obere Öffnung des Tunnels einen Augenblick frei war. Das kann sich jederzeit bei einer Springflut wiederholen! Vor allem bei Vollmond und Neumond, wenn die Ebbe ihren niedrigsten Stand erreicht, könnte es sogar passieren – wer weiß? Auf jeden Fall muß ich den Tunnel Tag und Nacht im Auge behalten!

Aber was nützt mir das? Ich habe keine Ahnung – ich will nur immer an alles denken, was auch nur entfernt nach einer Fluchtmöglichkeit aussieht.

29. August. Heute früh habe ich der Abfahrt des *Tug* zugeschaut. Zweifellos geht es diesmal nach einem amerikanischen Hafen, um dort Fertigteile abzuholen.

Graf d'Artigas spricht noch kurz mit Ingenieur Serkö, der ihn diesmal nicht begleitet – und dem er einige Instruktionen zu erteilen scheint. – Ob sie wohl mich betreffen?

Dann klettert er auf die Plattform des Bootes und steigt in den Rumpf hinunter. Kapitän Spade folgt ihm mit der Mannschaft der *Ebba*. Die Luke wird geschlossen, der *Tug* fährt los, neigt sich und taucht – auf der Wasserfläche über ihm drehen sich noch ein paar Sekunden lang flache Wirbel.

Stunden um Stunden vergehen – es wird wieder

Mittag – Abend. Da der *Tug* nicht zurückkommt, nehme ich an, daß er die Goélette auf dieser Fahrt schleppen wird – vielleicht auch zwischendurch ein Schiff in Grund bohren, das zufällig seinen Kurs kreuzt.

Immerhin ist es unwahrscheinlich, daß die *Ebba* lange wegbleibt. Acht Tage dürften genügen für die Hin- und Rückfahrt nach Amerika.

Zu allem Überfluß scheint das Wetter die Reise der *Ebba* diesmal noch zu begünstigen. Ich schließe das aus der völligen Windstille im Innern der Höhle. In den Breiten, auf denen die Bermudas liegen, haben wir ja jetzt die schönste Jahreszeit. – O wenn ich nur ein Loch in der Mauer dieses Gefängnisses entdecken könnte!

DREIZEHNTES KAPITEL

SO GOTT WILL!

29. August bis 10. September. Dreizehn Tage sind um – und die *Ebba* immer noch nicht zurück. Ist sie doch nicht auf direktem Weg zur amerikanischen Küste gefahren? Vielleicht hat sie sich mit Piraterie in den bermudischen Gewässern aufgehalten? Aber Ker Karraje müßte sich doch vor allem um das Heranschaffen der Maschinenteile kümmern! Es ist auch möglich, daß die Fabrik in Virginia noch nicht alles fertig hat.

Ingenieur Serkö scheint sich übrigens nicht die geringsten Sorgen zu machen. Er benimmt sich mir gegenüber wie eh und je – zeigt mir sein unschuldigstes Gesicht, dem ich aus guten Gründen nicht trauen kann. Er erkundigt sich oft und gern nach meinem Befinden, will mich zur völligen Resignation überreden, nennt mich ›unsern Ali Baba‹ und versichert mir hoch und heilig, daß es in Gottes schöner Welt kein gesegneteres Fleckchen Erde gäbe als diese paradiesische Höhle aus Tausendundeiner Nacht, daß ich hier kostenlose Vollpension einschließlich Garderobe und Heizung genieße – ohne Zoll und ohne Steuern – und daß nicht einmal die glücklichen Bewohner des Fürstentums Monaco so unbeschreiblich sorgenfrei lebten wie ich.

Solchem ironischen Geschwätz ausgesetzt, spüre ich manchmal, wie mir das Blut ins Gesicht steigt. Dann würde ich diesem unerbittlichen Sadisten am liebsten an den Hals springen. Man würde mich hinterher totschlagen – aber warum auch nicht: Besser auf die Weise umkommen, als Jahr und Tag mit den Piraten von *Back Cup* zusammengepfercht sein.

Doch dann meldet sich wieder die Vernunft – ich schaue Serkö an und hebe die Schultern.

Von Thomas Roch habe ich seit den ersten Tagen

nach der Abfahrt der *Ebba* nicht mehr viel bemerkt. Im Labor eingeschlossen, sitzt er unentwegt an seinen verschiedenen Projekten. Wenn ich einmal unterstelle, daß er sein ganzes verfügbares Rohmaterial verarbeitet, so muß das ausreichen, um *Back Cup* mitsamt den Bermudas in die Luft zu jagen.

Ich klammere mich immer noch an den letzten Strohhalm: Vielleicht liefert er die Zusammensetzung seines Deflagrators doch nicht aus? Vielleicht scheitern am Ende doch noch alle Anstrengungen des Ingenieurs, ihm dieses Geheimnis abzukaufen? Aber ob nicht auch diese Hoffnung täuscht?

13. September. Heute konnte ich mich mit eigenen Augen von der furchtbaren Explosivkraft des Sprengstoffes überzeugen und auch beobachten, wie der Deflagrator angewendet wird.

Schon am frühen Morgen fingen die Männer an, die Wand an der Stelle auszubrechen, die als künftiger Durchgang nach draußen vorgesehen war. Unter dem Kommando des Ingenieurs machten sie sich an den Sockel der Mauer, deren Kalkstein beinahe so hart ist wie Granit. Spitzhacken, von kräftigen Armen geschwungen, schlugen gegen die Felswand. Hätte man nur dieses Werkzeug zur Verfügung gehabt, es wäre eine Sisyphusarbeit geworden, denn die Wand hat an dieser Stelle des Mauersockels eine Stärke von mindestens zwanzig bis fünfundzwanzig Metern. Dem Fulgurator Roch wird es zu verdanken sein, wenn diese Arbeit

nur wenig Zeit und Mühe kostet. Was ich sah, hat mich mehr als erstaunt. Das Ausbrechen von Gestein, das mit der Spitzhacke so ungeheure Kraftanstrengung erforderte, vollzog sich mit spielerischer Leichtigkeit.

Wenige Gramm des Sprengstoffs waren genug, um die Felsmasse auseinanderzutreiben, zu zerstückeln, in fast unfühlbaren Staub zu verwandeln, den schon der leiseste Lufthauch wegbläst, als sei es eine Dampfwolke. Ja – ich wiederhole es: Fünf bis zehn Gramm – und ein Kubikmeter Gestein sprang mit trockenem Krachen aus der Wand. Die Erschütterung der Luft war unerträglich – wie beim Abfeuern eines schweren Geschützes.

Als man den Sprengstoff zum erstenmal anwendete, wurden trotz der geringen Menge ein paar Männer zu Boden geschmettert. Zwei von ihnen blieben schwer verletzt liegen. Ingenieur Serkö, der ebenfalls einige Schritte zurückgeworfen worden war, hatte ordentliche Schrammen im Gesicht.

Mit dem Sprengstoff, der in seiner Wirkung alles Bisherige weit in den Schatten stellt, wird in folgender Weise gearbeitet:

Ein zehn Millimeter starkes Loch wird fünf Zentimeter tief schräg ins Gestein hineingetrieben. Mit einigen Gramm des Sprengstoffs gefüllt, braucht das Loch nicht einmal verschlossen zu werden.

Dann tritt Thomas Roch in Aktion. In der Hand hält er ein Reagenzglas mit einer bläulichen, ölartigen Flüssigkeit, die gerinnt, sobald sie mit Luft in Berührung kommt. Er träufelt einen Tropfen auf den Sprengstoff im Bohrloch. Er zieht sich zurück – ohne besondere Eile. Denn es braucht eine gewisse Zeit – etwa fünfunddreißig Sekunden –, bis sich die Synthese von Sprengstoff und Zündstoff vollzogen hat. Dann aber erfolgt eine Explosion, deren Kraft man nur als schlechthin unbegrenzt bezeichnen kann, denn sie übertrifft die Gewalt der vielen bekannten Explosivstoffe um das Tausendfache.

Es ist keine Frage: Die dicke Höhlenwand wird in höchstens acht Tagen bequem durchbrochen sein.

19. September. Schon seit längerer Zeit fällt mir auf, daß Ebbe und Flut, die sich in unserm unterirdischen Tunnel deutlich bemerkbar machen, innerhalb vierundzwanzig Stunden zweimal einander entgegenlaufende Strömungen erzeugen. Es ist also kein Zweifel möglich: Ein in die Lagune geworfener schwimmender Gegenstand muß vom Sog der Ebbe hinausgetrieben werden, wenn die Tunnelmündung in ihrem oberen Teil frei wird.

Und die Öffnung müßte eigentlich beim untersten Stand der Ebbe zur Zeit der Tagundnachtgleiche wieder sichtbar werden. Ob es stimmt, wird sich bald herausstellen, denn wir haben jetzt dieses Datum. Übermorgen ist der 21. September – und heute konnte ich bei Niedrigwasser das obere Bogenstück schon deutlich erkennen.

Ich selber kann zwar nicht durch den Tunnel tauchen. Dagegen müßte eine Flasche, wenn man sie kurz vor Beendigung der Ebbe unter den Tunnelbogen in die Lagune wirft, unweigerlich ins Meer hinausgeschwemmt werden. Und warum sollte diese Flasche nicht irgendwann zufällig –

allerdings wäre das schon ein außerordentlicher Zufall – von einem vor *Back Cup* kreuzenden Schiff aufgefischt werden? Die Strömung könnte die Flasche auch an irgendein anderes Ufer der Bermudas treiben! – und wenn nun diese Flasche eine Nachricht enthielte –?

Das ist die Idee, die mich nicht mehr losläßt. Natürlich tauchen alle möglichen Bedenken auf. Die Flasche kann beim Passieren des Tunnels zerbrechen, oder draußen an die Klippen geworfen werden, bevor sie das offene Meer erreicht. – Aber dann müßte man eben ein Fäßchen nehmen – eine kleine Tonne, so wie sie als Schwimmer von Netzleinen verwendet werden. Eine solche Tonne würde auf keinen Fall zerbrechen und mit einiger Wahrscheinlichkeit unbeschädigt hinaustreiben.

20. September. Heute abend habe ich mich unbeobachtet in eines der Magazine eingeschlichen. Hier ist alles mögliche Zeug gestapelt, so wie es irgendwann erbeutet wurde. Und dabei war auch ein Fäßchen, das sich für mein Vorhaben ausgezeichnet eignet.

Ich gehe damit im Schatten der Felswand nach Bee-Hive zurück und in meine Zelle. Ohne auch nur eine Minute zu verlieren, fange ich an.

An Papier, Tinte und Federn fehlt es mir nicht – denn damit konnte ich ja bisher die hier aufgezeichneten Notizen niederschreiben. Ich werfe auf ein Blatt Papier folgende Zeilen:

›Am 15. Juni sind Thomas Roch und sein Wärter Gaydon – beziehungsweise der Ingenieur Simon Hart – die beide im Pavillon Nr. 17 in Healthful House bei New Berne (Nordkarolina, Vereinigte Staaten von Amerika) untergebracht waren, entführt und an Bord der dem Grafen d'Artigas gehörigen Goélette Ebba verschleppt worden.

Seit dem 19. Juni sind sie in einer Höhle eingeschlossen, die obengenanntem Grafen d'Artigas als Schlupfwinkel dient.

Der wahre Name des angeblichen Grafen ist jedoch Ker Karraje. Er ist der grausame Pirat, der eine Zeitlang die Gewässer des Westpazifik heimsuchte und der eine Bande von etwa hundert der schlimmsten Verbrecher befehligt.

Sollte diesem Ker Karraje der Fulgurator Roch mit seiner sozusagen unbegrenzten Zerstörungskraft in die Hände fallen, so könnte er in Zukunft seine Raubzüge in ungeahntem Ausmaß und unter der Garantie absoluter Straflosigkeit durchführen.

Es ist also unbedingt erforderlich, daß sich alle interessierten Großmächte zusammenschließen, um das Piratennest baldmöglichst auszuheben.

Die Höhle, in welcher sich der Pirat Ker Karraje verschanzt hat, liegt im Innern der Insel Back Cup, die man zu Unrecht für einen tätigen Vulkan hält. Sie liegt weit im Westen der Bermudagruppe. An ihrer Ostseite wird sie durch Klippen geschützt, dagegen ist sie von West, Süd und Nord frei zugänglich.

Die Höhle ist von der offenen See her nur durch einen Unterwassertunnel zu erreichen, dessen Tiefe bei mittlerem Wasserstand einige Meter beträgt und der in einen engen Fjord an der Westseite ausmündet. Man kann also nur mit Hilfe eines sogenannten Unterseebootes in Back Cup eindringen – zumindest solange ein zurzeit in Bau befindlicher Stollen durch die Nordwestwand noch nicht fertig ist.

Der Pirat Ker Karraje verfügt über ein solches Boot. Es ist der Tug, den der Graf hatte bauen lassen und der bei seiner Probefahrt in der Bucht von Charleston angeblich verlorenging. Dieser Tug besorgt nicht nur den Menschen- und Materialtransport durch den Tunnel, er schleppt auch die Goélette und bohrt Handelsschiffe in den Grund, die vor den Bermudas kreuzen.

Diese überall längs der amerikanischen Ostküste bekannte Goélette Ebba hat als einzigen Heimathafen eine kleine Bucht, die an der Westseite des Eilands liegt und hinter den vorgelagerten Felsen nicht einzusehen ist.

Vor einer Landung auf Back Cup ist es unbedingt notwendig, an der Westseite über den verlassenen Siedlungen der bermudischen Fischer mit Melinitgeschossen eine Bresche in die Höhlenwand zu schlagen. Nur so wird ein Vordringen von Landetruppen ins Innere möglich sein.

Man muß auch damit rechnen, daß der Fulgurator Roch schon einsatzbereit ist. Ker Karraje würde ihn dann bei einer überraschenden Invasion rücksichtslos zur Verteidigung von Back Cup benützen.

Ich füge hinzu, daß der Zerstörungsradius dieses teuflischen Geschosses, dessen Gewalt zwar alles bisher Bekannte weit übertrifft, doch nur 850 bis 900 Meter beträgt. Das Zielgebiet kann bestimmt werden – und auch verändert. Doch nimmt die Neueinstellung der Rakete von einem Ziel auf ein anderes geraume Zeit in Anspruch – und ein Schiff, das unterdessen die kritische Zone durchstoßen hätte, könnte sich ungefährdet dem Eiland nähern.

Vorliegendes Schriftstück habe ich heute, am 20. September, abends acht Uhr, aufgesetzt und eigenhändig unterzeichnet.

Ingenieur Simon Hart‹

Das ist also der Inhalt des von mir verfaßten Berichtes. Es wird darin alles mitgeteilt, was es über *Back Cup* mitzuteilen gibt, dessen Lage ja auf jeder Seekarte genau verzeichnet ist.

Nun weiß man vor allem, daß Ker Karraje auch auf die Verteidigung von *Back Cup* vorbereitet ist – und daß man deshalb rasch handeln muß. Ich habe noch eine Planskizze der ganzen Höhle beigefügt – einen Grundriß des Innenraums, die Ausdehnung der Lagune, die Anordnung von Bee-

Hive, die Lage der Wohnung Ker Karrajes, meiner Zelle und des Labors von Thomas Roch. – Jetzt muß meine Flaschenpost nur gefunden werden – und das ist die große Unbekannte in meiner Rechnung!

Ich wickle das Schriftstück in starke, teergetränkte Leinwand und stecke es in die mit Eisenreifen beschlagene kleine Tonne, die etwa fünfzehn Zentimeter lang sein mag – bei einem Durchmesser von acht Zentimetern. Ich habe mich vorher vergewissert, daß sie absolut wasserdicht ist und – beim Passieren des Tunnels und draußen an den Klippen – auch kräftige Stöße aushalten kann.

Die größte Gefahr sehe ich noch in der Möglichkeit, daß sie nicht in gute Hände gelangt, sondern von der nächsten Flut wieder ans Ufer der Insel zurückgespült und von Leuten der Goélette gefunden wird, wenn sie die *Ebba* in ihre Bucht einschleppen.

Und kommt das Schriftstück, das meine Unterschrift trägt und in dem Ker Karraje mit seiner Bande entlarvt wird, in die Hände der Piraten – dann reicht es nur noch für ein ganz kurzes, letztes Gebet!

Endlich wird es Nacht! Noch nie habe ich sie mit so fiebernder Ungeduld erwartet! Wie ich schon früher beobachtet und berechnet hatte, muß die Ebbe ihren Tiefstand um acht Uhr fünfundvierzig erreichen, und dann liegt der obere Teil der Mündung etwa einen halben Meter frei. Das Loch zwi-

schen Wasseroberfläche und Tunneldecke müßte ausreichen, das Fäßchen hineinschwimmen zu lassen. Ich will es eine halbe Stunde vor dem Gezeitenwechsel auswerfen, damit es der Sog gerade noch mitnimmt.

Im Halbdunkel – gegen acht Uhr – verlasse ich meine Zelle. Ringsum am Ufer ist niemand zu sehen. Ich gehe zu der Wand und komme an den Tunnel. Im Licht einer in der Nähe hängenden Lampe sehe ich schon die Wölbung überm Wasserspiegel. Ich kann sogar erkennen, wie der Strom in den Tunnel hineinfließt.

Ich steige vorsichtig über die Felsbrocken zur Lagune hinunter und werfe das Fäßchen hinein. Es enthält meinen Bericht und damit meine ganze – und wahrscheinlich allerletzte – Hoffnung.

»So Gott will«, sage ich – und wiederhole es: »So Gott will!« Es sind Worte, die man von unsern französischen Seeleuten oft hört.

Das Fäßchen bleibt erst ruhig, dann wird es von Wirbeln ans Ufer zurückgespült. Ich stoße es kräftig unter die Wölbung, damit es von der Strömung erfaßt wird.

Es gelingt: Keine zwanzig Sekunden – und es ist im Tunnel verschwunden.

Ja – so Gott will! Was würde ich darum geben, wenn diese Post ankäme! Und es dann keine Furcht mehr gäbe vor diesem Ker Karraje – und er mit seiner Piratenbande endlich vor seinen irdischen Richtern stünde!

VIERZEHNTES KAPITEL

DER SWORD IM KAMPF MIT DEM TUG

Eine schlaflose Nacht lang habe ich mit meinen Gedanken die kleine Tonne verfolgt. Oft sah ich sie, wie sie an Felsen zerbrach, in der Bucht ans Ufer trieb, irgendwo in einem Riff klemmte. Über und über war ich in Schweiß gebadet: Ist sie endlich aus dem Tunnel, schwimmt sie im Fjord – auf dem Meer? – Du lieber Gott – wenn die Flut sie wieder in den Eingang treibt, sie wieder hereinträgt – wenn ich sie wiedersehe –!?

Mit dem ersten Schein des Morgenrots springe ich hoch und laufe zum Ufer hinunter.

Ich schaue mich um: Kein Gegenstand schwimmt im ruhigen Wasser der Lagune.

Während der folgenden Tage wird die Arbeit am Durchbruch des Stollens in der gleichen Weise fortgesetzt, wie man sie begonnen hatte. Am 23. September vier Uhr nachmittags führt Ingenieur Serkö die letzte Sprengung an der Felswand durch. Das Loch ist offen. Zwar nur ein enger Gang, in dem man nur geduckt gehen kann – eine Art Schlauch, aber das reicht ja. Der Ausgang nach dem Fjord hin verliert sich irgendwo im Felsengewirr des Strandes, und es ist kein Problem, ihn bei Gefahr zu verschütten.

Selbstverständlich wird der Gang sofort streng überwacht. Niemand darf ihn ohne eine Sondergenehmigung benützen – weder um die Höhle zu betreten, noch um sie zu verlassen. Es ist also ausgeschlossen, auf diesem Weg zu entkommen.

25. September. Heute früh ist der *Tug* wieder aus der Tiefe der Lagune aufgetaucht. Graf d'Artigas, Kapitän Spade und die Mannschaft der Goélette klettern auf den Hafendamm. Unverzüglich beginnt das Löschen der von der *Ebba* übernommenen Fracht. Ich bemerke darunter verschiedene Ballen mit Proviant für *Back Cup*, Kisten mit Fleisch und Konserven, Fässer mit Wein und Brandy, außerdem mehrere für Thomas Roch bestimmte Spezialbehälter. Gleichzeitig schaffen die Leute Maschinenteile heraus, die alle etwa die Form eines Diskus haben.

Thomas Roch schaut der Arbeit zu. Seine Augen glitzern in einem ungewöhnlichen Feuer. Er greift nach einem der Stücke, untersucht es genau und nickt: Er ist zufrieden. Ich konstatiere, daß er seine Genugtuung nicht mehr durch zusammenhanglose Rufe zum Ausdruck bringt. Er ist nicht mehr der Pflegling von *Healthful House*. Ich stehe vor der Frage, ob der partielle Irrsinn, den man für unheilbar hielt, nicht einer völligen Wiedergenesung Platz gemacht hat.

Schließlich steigt Thomas Roch in das Boot, das auf der Lagune den Fährdienst versieht, und läßt sich mit Ingenieur Serkö ans Ufer vor sein Labor hinüberrudern. Eine Stunde später ist auch die ganze Ladung drüben.

Ker Karraje hat mit Ingenieur Serkö nur wenige Worte gewechselt. Doch am Nachmittag trafen sie sich wieder, gingen vor Bee-Hive lange auf und ab und sprachen miteinander.

Jetzt brechen sie die Unterhaltung ab, lassen Kapitän Spade rufen und verschwinden in dem neueröffneten Stollen.

O warum kann ich ihnen nicht nachschleichen?! Warum kann ich nicht – und wäre es nur einen Augenblick lang – die herrlich frische Seeluft einatmen, von der nach *Back Cup* nur noch der letzte, erschöpfte Hauch eindringt!

26. September bis 10. Oktober. Wieder sind vierzehn Tage um. Unter Leitung von Thomas Roch und Ingenieur Serkö wurde am Zusammenbau der Fertigteile gearbeitet. Jetzt folgt die Montage der Abschußrampen für den Fulgurator. Es sind einfache Böcke mit Gleitschienen, die an Deck der *Ebba* und sogar auf der Plattform des aufgetauchten *Tug* ohne Schwierigkeit und mit regulierbarem Abschußwinkel aufstellbar sein müssen.

Ker Karraje braucht also nur diese eine Goélette, um alle Meere der Welt zu beherrschen! Kein Kriegsschiff kann ihren Todesgürtel durchstoßen – die *Ebba* hält sich außer Schußweite. – Ob man meine Flaschenpost gefunden hat? Dann wäre das Nest auf *Back Cup* inzwischen bekannt! Und wenn man es vielleicht schon nicht mehr zerstören kann, dann muß es immer noch möglich sein, uns durch Blockade auszuhungern!

20. Oktober. Zu meiner größten Verwunderung lag der *Tug* heute früh nicht mehr an seinem Platz. Ich erinnere mich zwar, daß gestern die Elemente seiner Batterien frisch aufgetankt wurden – aber ich dachte, das geschehe nur, um sie einsatzbereit zu halten.

Wenn der *Tug* jetzt, nachdem der Stollen benutzt werden kann, wegfährt, dann kann es sich nur um einen Beutezug in die umliegenden Gewässer handeln, denn in *Back Cup* sind inzwischen alle Maschinenteile, Rohstoffe und Chemikalien eingetroffen, die Thomas Roch braucht.

Wir haben jetzt die Zeit der gleich langen Tage und Nächte. Das Meer rings um die Bermudas wird von häufigen Stürmen aufgewühlt. Orkanartige Windstöße wirbeln darüber hin. Man spürt das sogar in *Back Cup*: Böen fallen durch den offenen Krater ein, mit Sprühregen vermischte Dunstmassen füllen die ganze Höhle aus, das Wasser der Lagune regt sich, Nebelfetzen steigen auf und flattern über die Uferfelsen.

Ist es wirklich sicher, daß die Goélette den Fjord vor *Back Cup* verlassen hat? Ist sie nicht doch viel zu leicht gebaut, als daß sie sich – selbst mit vorgespanntem *Tug* – in so schwerer See halten könnte?

Andrerseits ist aber auch nicht anzunehmen, daß der *Tug* wegfährt, ohne die Goélette mitzunehmen.

Obwohl ihn selber die Wellen natürlich nicht stören, denn schon einige Meter unter der Oberfläche ist das Meer ja ganz ruhig!

Ich weiß tatsächlich nicht, wie ich mir die Abfahrt des Unterseeboots diesmal erklären soll. Und es muß eine längere Reise sein, denn es ist jetzt Abend und der *Tug* immer noch nicht zurück.

Und Ingenieur Serkö ist auch wieder hiergeblieben. Nur Ker Karraje, Kapitän Spade und die Besatzungen des *Tug* und der *Ebba* sind fort.

Und das Leben in dieser eingemauerten Kolonie läuft weiter – in seiner gewohnten, widerlichen Eintönigkeit. Oft sitze ich stundenlang in meiner Zelle, überlege, hoffe, verzweifle – klammere mich an eine den Launen der Strömung ausgelieferte kleine Tonne – und mit jedem Tag wird es mir schwerer. Und mache meine Notizen, die mich vielleicht nicht einmal überleben werden!

Thomas Roch sitzt unentwegt in seinem Labor – ich nehme an, er arbeitet an seinem Deflagrator. Ich habe immer noch eine vage Hoffnung, daß er die Analyse der Zündflüssigkeit vielleicht doch für sich behält. Aber was nützt es: Im Ernstfall wird er sie Ker Karraje zur Verfügung stellen!

Wenn ich spazierengehe, treffe ich am Strand vor Bee-Hive öfter auf Ingenieur Serkö. Dieser Mensch zieht mich dann immer gleich in eine Unterhaltung und schlägt dabei jedesmal den gleichen impertinent jovialen Ton an.

Wir reden dann über alles mögliche – selten über

meine Situation. Mit jeder Klage oder Beschwerde würde ich nur Wasser auf die Mühle seiner sarkastischen Schadenfreude gießen.

22. Oktober. Heute wollte ich Ingenieur Serkö doch einmal fragen, ob die Goélette mit dem *Tug* tatsächlich auf hoher See sei.

»O ja, Monsieur Hart«, bestätigt er mir. »Und wenn wir auch ein Wetter haben, in das man keinen Hund hinausjagen möchte – unsere gute alte *Ebba* wird schon durchhalten!«

»Ist sie länger unterwegs?«

»Wir erwarten sie in den nächsten achtundvierzig Stunden. Graf d'Artigas wollte noch einmal auf große Fahrt, bevor die Winterstürme die Meere völlig unpassierbar machen.«

»Ist es eine Vergnügungsreise – oder geschäftlich?«

Ingenieur Serkö antwortet lächelnd:

»Geschäftlich – rein geschäftlich, Monsieur Hart! Unsere Abschußrampen und Raketen sind alle fertig – sobald das Wetter wieder besser wird, können wir zur Offensive übergehen!«

»– gegen Schiffe, die unglücklicherweise –«

»Gegen Schiffe, die Pech haben – und gute Fracht an Bord!«

»Das ist die niederträchtigste Form der Seeräuberei, die man sich vorstellen kann«, antworte ich ihm wütend. »Und irgendwann wird man Ihnen Ihr schmutziges Handwerk legen, verlassen Sie sich drauf!«

»Ruhig bleiben, mein lieber Kollege – immer ganz ruhig bleiben! Sie wissen ebenso gut wie ich, daß man unser Nest hier auf *Back Cup* nie finden wird – und daß uns kein Mensch hinter unsere Schliche kommt. Übrigens wäre es für uns eine Kleinigkeit, mit der neuen Waffe, die so leicht einzusetzen und so vernichtend in ihrer Wirkung ist, jedes Schiff, das sich an unsere Insel heranmacht, mit einem einzigen Schuß zu pulverisieren.«

»Dazu brauchten Sie aber neben dem Fulgurator auch noch den Zünder – und den müßten Sie Thomas Roch erst abkaufen«, wende ich ein.

»Wir haben ihn gekauft, Monsieur Hart – Sie können auch in dieser Beziehung ganz unbesorgt sein!«

Aus dieser kategorischen Antwort hätte ich eigentlich schließen müssen, daß das Unglück bereits geschehen ist. Aber ein gewisses Zögern in seiner Stimme weckte in mir den unbestimmten Verdacht, daß seine letzte Behauptung vielleicht doch nicht ganz der tatsächlichen Sachlage entsprach.

25. Oktober. Ein entsetzliches Abenteuer, in das ich da hineingezogen wurde! Und ein wahres Wunder, daß ich noch am Leben bin – und meine seit achtundvierzig Stunden unterbrochenen Aufzeichnungen hier fortsetzen kann! – Ein bißchen mehr Glück, und ich wäre frei und in einem der Häfen von Bermuda – in Saint-Georges oder Hamilton! Und das Rätsel von *Back Cup* wäre für alle Welt gelöst! Die an alle Funkstationen sämtlicher Küsten signalisierte *Ebba* könnte sich in keinem Hafen mehr blicken lassen, eine völlige Blokkade von *Back Cup* würde Ker Karraje und seine Banditen zum Hungertod verurteilen!

Folgendes ist geschehen:

Am 23. Oktober gegen acht Uhr abends hatte ich meine Zelle in einer merkwürdig unruhigen Stimmung verlassen. Als ahnte ich, was mir bevorstand! Ich hatte schon einzuschlafen versucht, aber es war mir nicht gelungen.

Außerhalb von *Back Cup* mußte entsetzliches Wetter sein. Durch den Krater fiel der Sturm ein und peitschte sogar die Lagune zu hohen Wellen.

Ich wandte mich Bee-Hive zu.

Niemand war zu sehen. Es war empfindlich kalt, die Luft drückend feucht. Alle Drohnen hatten sich tief in die Zellen ihres Bienenkorbes geflüchtet.

Ein Mann bewachte den Stollen, der – eine übertriebene Vorsicht – an seinem Ausgang zum Meer hin sogar verrammelt war. Der Posten konnte von seinem Platz aus die Ufer der Lagune nicht einsehen. Überdies brannten nur zwei der Lampen, an jeder Seeseite eine. Der Pfeilerwald lag in fast völligem Dunkel.

Ich spazierte mitten in diese Finsternis hinein, als jemand vorbeikam.

Ich erkannte Thomas Roch.

Das schien mir eine günstige Gelegenheit, ihn

anzusprechen. Ihm einiges zu sagen, was er wahrscheinlich nicht wußte. Woher sollte er es wissen – wie sollte er auch nur eine Ahnung davon haben: wem er in die Hände gefallen ist – daß sich unter dem Grafen d'Artigas der Seeräuber Ker Karraje verbirgt! – Er hat ja nicht den leisesten Verdacht, daß es Banditen sind, denen er seine Erfindung zum Teil schon ausgeliefert hat! Ich muß ihm sagen, daß er mit den Millionen, die man ihm hier unten gibt, überhaupt nichts anfangen kann, daß *Back Cup* für ihn ein schlimmeres Gefängnis ist als *Healthful House*! Daß man ihn nie freilassen wird! – Ich muß sein Gefühl für Verantwortung wachrufen – und sein Gefühl für die Schuld, die er auf sich lädt, wenn er seine letzten Geheimnisse nicht für sich behält.

So weit war ich mit meinen Überlegungen – da spürte ich plötzlich, wie man mich von hinten anfaßte.

Zwei Männer packten mich an den Armen, ein dritter stellte sich vor mich hin.

Ich wollte um Hilfe rufen.

»Keinen Laut!« sagt der Mann vor mir auf englisch. »Sie sind doch Simon Hart?«

»Woher wissen Sie das?«

»Ich sah Sie aus Ihrer Zelle kommen.«

»Und wer sind *Sie*?«

»Leutnant Davon von der britischen Marine, Offizier an Bord des *Standard*, auf den Bermudas stationiert.«

Es war mir unmöglich zu antworten – die Aufregung wollte mich ersticken.

»Wir kommen, um Sie diesem Ker Karraje aus den Händen zu reißen. Wir wollen Sie entführen – zusammen mit dem französischen Erfinder Thomas Roch«, fügt Leutnant Davon hinzu.

Ich stottere: »Thomas Roch?«

»Ja! Wir haben die Flaschenpost mit Ihrer Unterschrift am Strand von Saint-Georges gefunden.«

»In einem Fäßchen, Leutnant Davon – ich hatte es in die Lagune geworfen!«

»– und es enthielt die Information, daß dieses *Back Cup* der Schlupfwinkel von Ker Karraje und seiner Bande ist – von dem Ker Karraje, der als falscher Graf d'Artigas die doppelte Entführung aus *Healthful House* durchgeführt hat!«

»Oh, Leutnant –!«

»Wir haben keinen Augenblick zu verlieren. Wir müssen die Dunkelheit ausnützen –!«

»Nur ein Wort, Leutnant Davon: Wie sind Sie denn hier – nach *Back Cup* – hereingekommen?«

»Mit dem Unterseeboot *Sword*, das seit sechs Monaten vor Saint-Georges Probefahrten macht.«

»Ein Unterseeboot?«

»Ja – es wartet auf uns – dort unten an den Felsen.«

»Dort unten –?« wiederhole ich.

»Wo ist Ker Karrajes *Tug*, Monsieur Hart?«

»Seit drei Wochen unterwegs.«

»Und Ker Karraje ist nicht in *Back Cup*?«

»Nein, aber wir erwarten täglich – sogar stündlich – seine Rückkehr.«

»Unwichtig«, antwortet Leutnant Davon – »es geht jetzt nicht um Ker Karraje. Wir haben nur Befehl, Thomas Roch hier herauszuholen – zusammen mit Ihnen, Monsieur Hart. Der *Sword* wird nicht wegfahren, bevor wir Sie beide an Bord haben. – Sollten wir überhaupt nicht zurückkommen, dann ist unser Auftrag eben gescheitert, und man wird es weiter versuchen –«

»Wo liegt der *Sword* – genau?«

»An der Seite dort – im Uferschatten, wo man ihn nicht sehen kann. Dank Ihrer Skizze haben wir – meine Leute und ich – den Eingang zum Unterwassertunnel gefunden. Der *Sword* ist gut durchgekommen und vor zehn Minuten in der Lagune aufgetaucht. Zwei Mann haben mich ans Ufer gebracht – da sah ich Sie vor Ihrer Zelle, die auf der Skizze eingetragen ist. – Wissen Sie, wo wir – um diese Zeit – Thomas Roch finden können?«

»Ein paar Schritte von hier! Er ist gerade an mir vorbei – auf dem Weg zu seinem Labor. Es ist ein reiner Zufall –«

»– für den wir dem Himmel danken können, Monsieur Hart!«

»Allerdings, Leutnant Davon!«

Der Leutnant, seine beiden Männer und ich gingen nun den Fußweg hinunter, der um die Lagune herumführt. Wir waren noch keine zehn Meter weit, da sah ich schon Thomas Roch.

Es ging alles sehr schnell: Wir warfen uns über ihn, knebelten ihn, bevor er sich wehren konnte. In weniger als einer Minute hatten wir ihn unten an der Stelle, wo der *Sword* festgemacht hatte.

Dieser *Sword* war ein Unterseeboot von etwa zwölf Tonnen – dem *Tug* also an Größe und Stärke weit unterlegen. Zwei Akkumulatorendynamos – die Akkumulatoren hatte man erst vor zwölf Stunden in Saint-Georges frisch geladen – übertrugen ihre Bewegung auf die Schraube. – Aber wenn es auch ein schwaches Boot war – es konnte uns aus unserm Gefängnis entführen – mit uns hinausfahren in die Freiheit – eine Freiheit, an die ich schon fast nicht mehr glauben wollte.

Und Thomas Roch war dann nicht mehr in den Klauen dieses Ker Karraje und seines Ingenieurs Serkö! Und ohne Thomas Roch konnten die Schufte seine Erfindung nicht ausbeuten – seine Waffe nicht einsetzen! Nichts hinderte eine Flotte von Kriegsschiffen, *Back Cup* anzulaufen, Truppen zu landen, den Stollen zu stürmen und die Piraten gefangenzunehmen.

Wir waren keinem Menschen begegnet, und die beiden Männer trugen Thomas Roch auf die Plattform, dann senkten sie ihn ins Boot. Wir stiegen ebenfalls hinunter, die Luke über uns wurde zugeschraubt. Die Tanks füllten sich mit Wasser – der *Sword* tauchte – wir waren gerettet!

Der in drei Schotten unterteilte *Sword* ist so eingerichtet, daß in der hinteren Abteilung – also im Heck – die Akkumulatoren und Maschinen eingebaut sind. In der Mitte ist der Führungsstand, darüber das Periskop mit Linsengläsern, das schwenkbar ist und die Umgebung bei Unterwasserfahrt elektrisch ausleuchtet. Im vorderen Drittel des Bootes waren Thomas Roch und ich untergebracht.

Selbstverständlich blieb er noch gefesselt – nur den Knebel, an dem er fast erstickt wäre, hatten wir ihm aus dem Mund gezogen. Es war mir durchaus nicht klar, ob er wußte, was mit ihm vorging.

Wir wollten natürlich möglichst rasch wegkommen und hofften, daß es keine Schwierigkeiten mehr gäbe und wir noch in der Nacht Saint-Georges erreichen könnten.

Ich stieß die Verbindungstür zum Mittelschott auf und ging zu Leutnant Davon, der gerade dem Mann am Ruder einige Anweisungen gab.

Im Heckschott, dessen Tür ebenfalls offen stand, waren drei Mann an den Maschinen und warteten auf den Startbefehl ihres Offiziers.

»Herr Leutnant«, sage ich, »Thomas Roch können wir jetzt wohl unbesorgt alleine lassen. Vielleicht kann ich Ihnen behilflich sein, wenn wir den Eingang zum Tunnel suchen?«

»Ja, bleiben Sie hier, Monsieur Hart!«

Es war jetzt genau acht Uhr siebenunddreißig. Die vom Periskop ausgehenden elektrischen Strahlen tauchten die Wasserschichten, in denen der

Sword sich hielt, in ein fahles Licht. Von der Stelle aus, an der wir immer noch lagen, mußten wir jetzt erst quer durch die ganze Lagune fahren – und dann den Tunneleingang suchen. Das war zwar schwierig, aber nicht unmöglich. Wenn wir unter Wasser das Ufer ableuchteten, mußten wir das Loch ziemlich bald entdecken. Hatte dann der *Sword* den Tunnel vorsichtig und mit geringer Geschwindigkeit – um nicht gegen Felsvorsprünge zu stoßen – passiert, konnte er auftauchen und Kurs auf Saint-Georges nehmen.

»Wie tief sind wir?« fragte ich den Leutnant.

»Viereinhalb Meter.«

»Wir brauchen nicht weiter hinunter«, antwortete ich. »Nach meiner Beobachtung während der letzten Ebbe bei Tagundnachtgleiche dürften wir etwa in der Achse des Tunnels liegen.«

»All right«, erwiderte der Leutnant.

Ja –: All right! – Mir war, als habe die Vorsehung diese beiden Worte dem Offizier in den Mund gelegt. Und sie hätte keinen besseren Mann finden können zur Ausführung ihres Befehls.

Ich schaue mir den Leutnant im Schein der Schiffslampe an. Er ist etwa dreißig Jahre alt, kalt, phlegmatisch, von entschlossenem Ausdruck – der englische Offizier mit seiner ganzen angeborenen Selbstbeherrschung. Er ist so ruhig, als befände er sich an Bord der *Standard*. Gleichgültig und kaltblütig – sozusagen mit der Präzision einer Maschine – führt er die Operation durch.

»Bei unserer Anfahrt«, sagt er mir, »habe ich die Länge des Tunnels auf vierzig Meter geschätzt.«

»Ganz recht – von einem bis zum andern Ende, Leutnant Davon, ungefähr vierzig Meter.«

Diese Angabe mußte wohl stimmen, denn der

Stollen, der ja etwas höher lag, war etwa dreißig Meter lang.

Der Maschinist erhielt Befehl, die Schraube anlaufen zu lassen. Der *Sword* tastete sich nur sehr langsam am Ufer entlang, um jede Kollision mit einem Felsen zu vermeiden.

Manchmal kam er aber doch der unterseeischen Wand so nahe, daß in den Strahlen des Scheinwerfers sich die Schatten dunkel vorspringender Massen abzeichneten. Dann wurde das Ruder ein wenig gedreht – das Boot wich aus.

Die Steuerung eines Unterseebootes ist schon auf dem offenen Meer eine komplizierte Angelegenheit. Wieviel mehr Geschick erforderte das Manövrieren hier – am felsigen Untergrund dieser Lagune!

Nach etwa fünf Minuten hat der *Sword*, der immer in einer Tiefe von etwa vier Metern gehalten wird, die Tunnelöffnung immer noch nicht gefunden.

Da mache ich einen Vorschlag:

»Leutnant Davon – vielleicht wäre es doch ratsam, noch einmal ganz kurz aufzutauchen. Wir können dann die Wand, unter der die Tunnelöffnung liegt, besser ausmachen.«

»Ganz meine Meinung, Monsieur Hart – wenn Sie die Stelle genau angeben können –«

»Das kann ich.«

»All right!«

Wir waren vorsichtig und stellten den Periskopscheinwerfer ab. Das Wasser lag wieder in undurchdringlichem Dunkel. Der Maschinist bekam Befehl, aufzutauchen. Er schaltete die Pumpen ein, und der leichter werdende *Sword* stieg ganz langsam zur Oberfläche der Lagune.

Ich blieb am Periskop, um durch seine Linsen die Umgebung genau zu erkennen.

Der *Sword* lag still – er ragte höchstens einen Fuß über die Wasserfläche.

Ich sah die Lampen auf dem Ufer vor der Wand von Bee-Hive.

»Was meinen Sie?« fragte Leutnant Davon.

»Wir sind zu weit nördlich. Der Ausgang liegt an der Westwand der Höhle!«

»Sehen Sie Leute am Ufer?«

»Keinen Menschen!«

»Um so besser, Monsieur Hart. Dann werden wir jetzt oben weiterfahren. Und erst wenn der *Sword* nach Ihren Angaben überm Tunneleingang liegt, lassen wir ihn tauchen.«

Das war sicher die beste Lösung. Der Mann am Ruder brachte den *Sword* zunächst in die Richtung der Tunnelachse, nachdem er ihn etwas vom Ufer wegmanövriert hatte – wir waren ihm zu nahe gekommen. Nun wurde das Steuer gestellt, die Schraube lief ruhig an, und der *Sword* drehte sich der gegenüberliegenden Wand zu und nahm Fahrt auf.

Etwa zehn Meter vor der Tunnelöffnung ließ ich stoppen. Mit dem Abschalten des Stroms lag das Boot sofort still, die Ventile wurden geöffnet, die Tanks geflutet. Der *Sword* sank langsam ab.

Der Scheinwerfer des Perikops leuchtete auf – ich deutete auf die Wand, wo ein schwarzes Loch die Lichtstrahlen überhaupt nicht reflektierte:

»Dort – dort – der Tunnel!« rief ich.

War das nicht das Tor aus meinem Gefängnis? Lag draußen nicht der Ozean – die Freiheit?

Langsam glitt der *Sword* auf die Mündung zu.

Da –: entsetzlicher, unglücklicher Zufall! – Wie ich diesen Schlag überleben konnte?! – Daß mein Herz nicht zu schlagen aufhörte?!

Ein fahler Lichtschein stand vor uns, kaum zwanzig Meter vor uns, in der Tiefe des Tunnels! Ein Licht, das auf uns zukam! Und dieses Licht konnte nichts anderes sein als der Periskopscheinwerfer auf dem Unterseeboot Ker Karrajes.

»Der *Tug*!« schrie ich. »Der *Tug*, der nach *Back Cup* zurückkommt!«

»Maschinen volle Kraft zurück!« kommandierte Leutnant Davon.

Und der *Sword* mußte zurückstoßen, statt in den Tunnel einzufahren.

Vielleicht blieb uns doch noch eine Chance zur Flucht. Denn der Leutnant hatte mit einem schnellen Handgriff den Scheinwerfer gelöscht. Es war möglich, daß weder Kapitän Spade noch einer seiner Leute den *Sword* gesichtet hatten. Wenn uns das Ausweichmanöver gelang, fuhr der *Tug* vielleicht vorbei, ohne uns in dem nächtlich schwarzen

Wasser der Lagune zu bemerken. Und wenn er dann erst vor Anker lag, konnten wir es noch einmal versuchen! Durch die Gegendrehung der Schraube wich der *Sword* nach Süden aus. Noch wenige Augenblicke – und er konnte abstoppen.

Aber nein: Kapitän Spade hatte bemerkt, daß da ein Unterseeboot war, das in den Tunnel wollte. Und er traf sofort alle erforderlichen Maßnahmen, es unter dem Wasser der Lagune zu verfolgen. Und was konnte unser schwaches Schiffchen schon gegen Ker Karrajes mächtiges, gepanzertes Unterseeboot ausrichten?!

Leutnant Davon sagt zu mir:

»Monsieur Hart, gehen Sie wieder in Ihr Schott zu Thomas Roch! Machen Sie die Tür zu – ich schließe die andere zum Heckschott. Werden wir gerammt, ist es möglich, daß nur ein Teil voll Wasser läuft und wir doch noch hochkommen.«

Ich drückte dem Leutnant, der auch in dieser hoffnungslosen Situation seine Disziplin und Kaltblütigkeit bewahrte, die Hand, ging nach vorn zu Thomas Roch, schloß sorgfältig die Tür und wartete nun in tiefstem Dunkel.

Ich konnte die Manöver genau verfolgen, die der *Sword* fortwährend durchführen mußte, um den ständigen Angriffen des *Tug* zu entkommen. Ich spürte, wie er seitwärts auswich, sich drehte, auf- und untertauchte. Bald schoß er rasch vor, um einem Rammstoß zu entgehen, bald stieg er an die Oberfläche, bald lag er auf dem Grund der Lagune. Man kann sich den Kampf der beiden Unterseeboote im aufgewühlten Wasser ausmalen: Zwei stählerne Seeungeheuer von ungleicher Kraft – und das große jagt erbarmungslos das kleine!

Es wurde einige Minuten stiller – ich fragte

mich schon, ob der *Tug* die Verfolgung aufgegeben habe – oder ob es dem *Sword* vielleicht sogar gelungen sei, in den Tunnel einzufahren?

Nein! Es folgte eine Kollision. – Der Stoß mußte sehr heftig gewesen sein – und ich konnte mich keinen falschen Hoffnungen mehr hingeben: Der *Sword* war an seiner Steuerbordseite voll getroffen worden. Vielleicht hatte sein stählerner Rumpf noch widerstanden, vielleicht war aber auch ein Leck geschlagen.

Da folgte schon der zweite, noch kräftigere Rammstoß, der *Sword* wurde zurückgeworfen, dann – offenbar vom Sporn des *Tug* – hochgehoben, schließlich schlug er um. Dann spürte ich, wie sich der Bug, in dem wir – Thomas Roch und ich – lagen, steil aufstellte und der *Sword*, mit dem voll Wasser gelaufenen Heck voran – senkrecht in die Tiefe wegsackte.

Thomas Roch und ich wurden dabei – ohne uns irgendwo festhalten zu können – wild durcheinandergeschleudert. Endlich, nach einem letzten Stoß, hörte ich das Geräusch zerspringender Eisenplatten, der *Sword* schlug auf dem Grund der Lagune auf, kippte um und blieb unbeweglich liegen.

Von diesem Augenblick an weiß ich nichts mehr – ich hatte das Bewußtsein verloren. Später habe ich erfahren, daß es viele Stunden dauerte, bis man den *Sword* heben konnte. Ich erinnere mich nur noch an meine letzten Gedanken, bevor ich ohnmächtig wurde:

»Ich bin verloren. Aber Thomas Roch und sein Geheimnis auch. Und die Piraten von *Back Cup* genau so!«

FÜNFZEHNTES KAPITEL

ICH MUSS WARTEN

Ich wache auf und sehe mich um. Ich liege auf meiner Pritsche in meiner Zelle. Ich glaube, ich war ungefähr dreißig Stunden ohne Bewußtsein.

Ich bin nicht allein. Ingenieur Serkö ist bei mir. Er hat alles getan, um mich wieder ins Leben zurückzurufen. Er hat mich vom ersten Augenblick an persönlich betreut. Nicht als einen Freund – ganz sicher nicht! Sondern als einen Mann, von dem man jetzt unentbehrliche Auskünfte erwartet – und den man mit der gleichen Selbstverständlichkeit liquidiert, wenn es das allgemeine Interesse erfordert.

Ich bin noch sehr schwach – es wäre mir unmöglich, auch nur einen Schritt zu tun. Es hatte nicht wenig gefehlt – und ich wäre in dem engen Schott des *Sword* erstickt, als dieser auf dem Grund der Lagune lag.

Ingenieur Serkö brennt darauf, mich über dieses Abenteuer auszufragen – ich sehe es ihm an! Ob ich schon imstande bin, brauchbare Antworten zu geben? Wenn ja – dann aber nur mit äußerster Vorsicht und Zurückhaltung!

Zunächst frage ich mich, wo Leutnant Davon und die Besatzung des *Sword* wohl geblieben sind. Ob die tapferen Engländer die Kollision überlebt haben? Ob sie auch heil und gesund sind wie wir – denn ich nehme an, daß es Thomas Roch nach dem Zusammenstoß der beiden Unterseeboote ebenso ergangen ist wie mir.

Da stellt mir Ingenieur Serkö schon die erste Frage:

»Erklären Sie mir, was vorgefallen ist, Monsieur Hart!«

Statt zu antworten, stelle ich ihm lieber gleich eine Gegenfrage:

»Und Thomas Roch?« will ich wissen.

»– geht es gut, Monsieur Hart. – Aber was war nun eigentlich los?« fragt er in schärferem Ton.

»Sagen Sie mir doch erst einmal«, lenke ich ab, »was mit den andern passiert ist!«

»Mit welchen andern?« erwidert Serkö und streift mich dabei mit einem argwöhnischen Blick.

»Mit den Leuten, die Thomas Roch und mich überfallen haben – und geknebelt – und eingesperrt!«

»Wo eingesperrt?«

»Das weiß ich doch nicht!«

Eine blitzschnelle Überlegung rät mir, den ganzen Vorfall so hinzustellen, als sei ich an jenem Abend das Opfer eines plötzlichen Überfalls geworden und hätte nicht einmal Zeit und Möglichkeit gehabt, die Angreifer zu identifizieren.

»Diese Burschen – was ihnen passiert ist, werden Sie gleich hören«, antwortet Ingenieur Serkö.

»Aber vorher will ich von Ihnen objektiv erfahren, wie sich dieser Vorfall abgespielt hat!«

Es ist das drittemal, daß er die Frage wiederholt, und seine Stimme wird dabei immer inquisitorischer. Also hat er mich in Verdacht. Aber was wirft er mir vor? Das, was ich wirklich getan hatte? Unmöglich! Da müßte meine Flaschenpost in die Hände von Ker Karraje gefallen sein – und ich weiß, daß sie von den Behörden der Bermudas gefunden wurde. – Nein, eine solche Anklage gegen mich stünde auf recht schwachen Füßen!

Ich beschränke mich darauf, zu erzählen, daß ich gestern abend gegen acht Uhr am Ufer entlangspaziert sei – und noch gesehen habe, wie Thomas Roch zu seinem Labor ging. Dann wurde ich von hinten angefallen. Drei Männer schlugen mich zu Boden, verbanden mir die Augen, fesselten und knebelten mich. Ich wurde wenig später fortgetragen – zusammen mit einem zweiten Mann, den ich an seinem Stöhnen als meinen ehemaligen Pflegling Thomas Roch zu erkennen glaubte. Man hievte uns in ein enges Loch hinunter. Ich hatte gleich das Gefühl, daß wir uns an Bord eines Schiffes befanden – und das konnte wohl nur der inzwischen von seiner Fahrt zurückgekehrte *Tug* sein. Dann schien es mir, als ob er tauche, und ich wurde durch verschiedene kurz aufeinander folgende starke Stöße hin und her geschleudert. Schließlich war es still – allmählich ging mir die Luft aus – am Ende verlor ich die Besinnung. Weiter wußte ich nichts.

Ingenieur Serkö hört mir gespannt zu. Sein Blick bleibt hart, seine Stirn legt sich in Falten. Nichts berechtigt ihn zu dem Verdacht, ich hätte gelogen.

»Sie behaupten, es waren drei Männer, die Sie überfallen haben?« fragt er.

»Ja – ich dachte, es seien Ihre Leute – und ich habe sie nicht kommen sehen. – Wer waren sie denn?«

»Fremde. – Sie mußten sie doch an ihrer Sprache erkennen?«

»Sie haben nicht gesprochen.«

»Und Sie hatten keinerlei Anhaltspunkte – welcher Nationalität –?«

»Leider nein.«

»Und wissen auch nicht, in welcher Absicht sie in die Höhle eingefahren sind?«

»Keine Ahnung!«

»Und was halten Sie jetzt von dieser ganzen Sache?«

»Was ich davon halte, Monsieur Serkö? – Ich sagte es Ihnen schon: Mein erster Gedanke war, Sie hätten auf Befehl des Grafen d'Artigas zwei oder drei Ihrer Piraten beauftragt, mich in die Lagune zu werfen – und Thomas Roch hinterher. – Warum auch nicht? Sie selber haben zugegeben, daß Sie inzwischen seine sämtlichen technischen Unterlagen besitzen. Sie brauchen ihn nicht mehr – und mich auch nicht –«

»Freilich, Monsieur Hart – diese Idee konnte Ihnen kommen«, antwortete Ingenieur Serkö – und nicht mehr in dem ironischen Tonfall, den ich sonst an ihm gewöhnt bin.

»Allerdings wurde ich wieder unsicher, als ich mir die Binde abnehmen konnte und sah, daß man mich in ein Schott eures *Tug* geworfen hatte.«

»Das war nicht der *Tug* – das war ein anderes Unterseeboot ähnlicher Bauart. Es hatte sich in die Lagune eingeschlichen.«

»Noch ein Unterseeboot?« rufe ich verwundert.

»Ja – und mit Leuten bemannt, die Sie und Thomas Roch entführen sollten.«

»Uns entführen?« – Ich hoffe, meine Überraschung klingt echt!

»Und jetzt frage ich Sie noch einmal«, fuhr Ingenieur Serkö fort, »was halten Sie davon?«

»Ich kann mir nicht vorstellen, daß dieser Schlupfwinkel entdeckt wurde – weder durch Verrat noch durch die Unvorsichtigkeit Ihrer Leute. Bleibt also nur eine Erklärung: Das Unterseeboot, von dem Sie sprechen, ist bei einer Erkundungsfahrt zufällig auf den Tunnelausgang gestoßen, eingefahren und in der Lagune aufgetaucht. Die Mannschaft war überrascht, sich in einer bewohnten Höhle zu finden, und hat die ersten besten, die ihr über den Weg liefen, geschnappt – Thomas Roch und mich und vielleicht noch andere – ich weiß es nicht –«

Ingenieur Serkö ist sehr ernst geworden. Spürt er, wie haltlos die Hypothese ist, die ich ihm suggerieren will? Glaubt er, daß ich mehr weiß, als ich sagen will? Wie dem auch sei, er scheint meine Antwort zu akzeptieren und fügt hinzu:

»Möglich, Monsieur Hart, daß sich der Zwischenfall so oder ähnlich abgespielt hat. Und als das fremde Boot wieder in den Tunnel einfahren wollte, begegnete es gerade dem zurückkommenden *Tug* – und es kam zu einer Kollision. Und ihr fiel das andere Boot zum Opfer. – Nun sind wir keine Leute, die ihre Mitmenschen einfach umkommen lassen! Und da wir inzwischen wußten, daß Sie und Thomas Roch verschwunden waren – sich also in dem gesunkenen Boot befinden mußten, gingen wir sofort an die Arbeit: Zwei so kostbare Leben mußten doch unbedingt gerettet werden. – Wir haben unter unseren Leuten ein paar sehr geschickte und erfahrene Taucher. Die stiegen zum Grund der Lagune hinunter, seilten den *Sword* an –«

»– den *Sword?«* warf ich ein.

»Ja, diesen Namen lasen wir am Bug des Bootes, als es gehoben war. – Ach, wir haben uns ja so gefreut, daß Sie das Unglück – zwar verletzt, aber doch gut – überstanden hatten! Wir waren so glücklich, daß es uns gelang, Sie wieder ins Leben zurückzurufen! Unsere Bemühungen dagegen, den Offizier und die Besatzung des *Sword* zu retten, waren leider vergebens: Der Zusammenstoß hatte die Mitte und das Heck des Bootes, wo sie sich befanden, aufgesprengt – und so haben die armen Leute den Zufall mit ihrem Leben gebüßt: nur den Zufall – wie Sie sagten, der sie in unsere unbekannte Höhle geführt hat.«

Die Nachricht vom Tod Leutnant Davons und seiner Leute traf mich hart. Aber ich mußte meine Rolle weiter spielen und mich beherrschen – und es handelte sich hier ja um Matrosen, die ich angeblich nie kennengelernt hatte. Vor allem kam es darauf an, jeden Verdacht zu vermeiden, ich hätte mit dem Offizier des *Sword* unter einer Decke gesteckt. Wer sagt mir denn, daß Ingenieur Serkö das unerklärliche Auftauchen des *Sword* wirklich dem Zufall zuschreibt? Vielleicht hat er triftige Gründe, die von mir vorgetragene Version des Unfalls wenigstens vorläufig als glaubhaft hinzunehmen?

Die unverhoffte Chance, meine Freiheit wiederzugewinnen, ist jedenfalls unwiederbringlich vertan. – Immerhin habe ich die Genugtuung zu wissen, daß man draußen über die Existenz des Piraten Ker Karraje alle notwendigen Informationen hat, denn mein Bericht ist in Händen der englischen Behörden der Bermudas. Und da der *Sword* nicht wieder zu seiner Basis zurückkehrt, wird ohne Zweifel bald eine neue Expedition gegen *Back Cup* gestartet werden, wo ich nur noch deshalb gefangen liege, weil der *Tug* unseligerweise und zufällig in der Minute die Lagune erreichte, als der *Sword* sie verlassen wollte.

Ich führe nun mein alltägliches Leben weiter, und da kein Verdacht auf mir ruht, kann ich mich wie eh und je überall in der Höhle frei bewegen.

Dieses letzte Abenteuer ist auch für Thomas Roch ohne schlimme Folgen geblieben. Eine sorgfältige Pflege hat auch ihn wieder rasch auf die Beine gebracht. Mit völlig gesundem Verstand führt er seine Arbeiten fort und bleibt oft mehrere Tage lang in seinem Labor.

Die *Ebba* hat von ihrer letzten Reise Ballen, Kisten und alle möglichen Güter verschiedenster Provenienz mitgebracht. Ich schließe daraus, daß es wieder eine Kaperfahrt war – und mehr als ein Schiff daran glauben mußte.

Der Bau der Abschußrampen wird mit gleichbleibender Intensität vorangetrieben. Von den furchtbaren Lafetten werden fünfzig Stück hergestellt. Wenn Ker Karraje und Ingenieur Serkö in die Verlegenheit kämen, *Back Cup* verteidigen zu müssen, so würden schon drei oder vier ausreichen, die Insel vor jeder Invasion zu schützen, da sie einen Todesgürtel eindecken könnten, in dem jedes angreifende Schiff rettungslos verloren wäre.

Und daß sie *Back Cup* nun schleunigst zur Festung ausbauen, leuchtet mir durchaus ein – denn sie müssen jetzt folgende Überlegungen anstellen:

›War der Besuch des *Sword* in der Lagune wirklich nur ein Zufall, dann bleibt unsere Situation unverändert. Keine Macht der Welt – auch England nicht – wird auf die Idee kommen, den *Sword* unter dem Felsenpanzer unserer Insel zu suchen. Hat man dagegen – auf vorerst unbegreifliche Weise – *Back Cup* als Schlupfwinkel Ker Karrajes ausgemacht, dann war die Entsendung des *Sword* nur ein erster Erkundungsvorstoß, dem bald ein zweiter, ernsthafter Versuch folgen wird. Entweder ein Angriff mit Artillerie – oder eine Landung. Solange wir also auf *Back Cup* bleiben und unser Geld nicht anderswo in Sicherheit bringen können, müssen wir den Fulgurator zu unserer Verteidigung einsetzen.‹

Ich glaube, daß diese Erwägungen noch weiter gingen und die Verbrecher sich gefragt haben:

›Ob diese erste Unternehmung gegen *Back Cup* wohl irgendwie in Verbindung steht mit jener doppelten Entführung von *Healthful House*? Ob man Thomas Roch und seinen Pfleger nicht doch in diesem Berg vermutet? Ob man nicht doch dahintergekommen ist, daß Ker Karraje jene Entführung veranlaßt hatte? – Ob Amerikaner, Engländer, Franzosen, Deutsche, Russen und andere wirklich fürchten, daß ein gemeinsamer offener Angriff gegen die Insel zum Scheitern verurteilt wäre?‹

Angenommen jedoch, das alles wäre publik – dann mußte Ker Karraje damit rechnen, daß die Großmächte trotz der enormen Risiken vor einem Angriff nicht zurückschrecken würden. Ein übernationales Interesse – eine Verantwortung der gesamten Menschheit gegenüber – erforderte die Zerstörung seiner Festung. Nachdem der Pirat und seine Kumpane früher die Meere des Westpazifik unsicher gemacht hatten, plündern sie jetzt die Gewässer des westlichen Atlantiks. Sie müssen ausgerottet werden – koste es, was es wolle.

In jedem Fall, auch wenn man sich nur der letzten Vermutung anschloß, war es für die Bewohner der Höhle nun ratsam geworden, ständig auf Posten zu sein. So wird denn auch sofort ein strengen Vorschriften unterworfener Wachdienst eingerichtet. Durch den ausgebrochenen Stollen können die Piraten, ohne den *Tug* zu bemühen, hinaus an die Küste. Dort beobachten sie nun, hinter den niedrigen Felsen des Ufers versteckt, Tag und Nacht ringsum den Horizont. Sie lösen sich morgens und abends mit je zwölf Mann ab. Jedes Schiff, das auf hoher See auftaucht, jedes Boot, das auf die Insel zusteuert, kann auf diese Weise augenblicklich gemeldet werden.

Während der folgenden Wochen ereignet sich nichts Besonderes. Ein Tag folgt dem anderen in tödlicher Eintönigkeit. Allerdings hat man den unbestimmten Eindruck, daß sich *Back Cup* nicht mehr so sicher fühlt wie bisher. Es herrscht eine gewisse entmutigende Nervosität. Jeden Augenblick fürchtet man, von den Posten am Ufer den Ruf ›Alarm! – Feind in Sicht!‹ zu hören. Es ist den Piraten nicht mehr so wohl in ihrer Haut wie vor dem Besuch des *Sword*. Tapferer Leutnant Davon – brave Männer! Möge England – und auch die anderen Staaten – nie vergessen, daß ihr euer Leben im Dienst der zivilisierten Menschheit geopfert habt!

Es ist unverkennbar, daß Ker Karraje, Ingenieur Serkö und Kapitän Spade bei aller Überlegenheit ihrer Verteidigungswaffen, die ja eine ganze Flotte von Torpedobooten auszuschalten in der Lage sind, unter irgendeiner Sorge leiden – und dies auch nicht verbergen können. Immer wieder sitzen sie beieinander und diskutieren. Vielleicht erwägen sie schon die Evakuierung – vielleicht wollen sie *Back Cup* unter Mitnahme des gesamten Beuteguts völlig aufgeben? Denn wenn das Nest erst einmal bekannt ist, wird man es auch vernichten – zumindest durch Blockade aushungern!

Ich weiß natürlich nicht, ob meine Vermutung zutrifft. Für mich bleibt nach wie vor das wichtigste, daß man mich nicht verdächtigt, jenes an den Bermudas glücklich abgefangene Fäßchen durch den Tunnel geschleust zu haben. Ingenieur Serkö hat wenigstens in dieser Richtung nie eine Andeutung gemacht. Nein, auf mich ist noch kein Verdacht gefallen. Wäre Ker Karraje auch nur mißtrauisch geworden, so hätte er mich – ich kenne ihn gut genug – längst dem Leutnant Davon und seiner Mannschaft auf den Grund der Lagune nachgeschickt!

Zurzeit wird das Meer hier jeden Tag von verheerenden Winterstürmen heimgesucht. Überm Krater pfeift und braust es manchmal entsetzlich.

Die Luftwirbel, die sich im Pfeilerwald fangen, bringen ein wunderbares Tönen hervor, so als wäre unsere Höhle der Resonanzboden eines riesigen Instruments. Das Heulen von draußen ist zuweilen so stark, daß die Salve eines ganzen Artilleriegeschwaders darin untergehen würde. Viele See-

vögel schützen sich hier vor dem Orkan und betäuben uns, wenn der Sturm ausnahmsweise einmal nachläßt, mit ihrem schrillen Geschrei.

Es ist kaum anzunehmen, daß sich die Goélette

bei so miserablem Wetter auf hoher See halten könnte. Aber sie hat ja auch nicht nötig auszufahren, denn *Back Cup* ist für den ganzen Winter reichlich mit Vorräten eingedeckt. Ich glaube auch, daß Graf d'Artigas seine *Ebba* in Zukunft nicht mehr so gern an den amerikanischen Küsten entlang spazieren führt. Er dürfte dort Gefahr laufen, nicht mehr mit der einem reichen Jachtbesitzer zustehenden Zuvorkommenheit empfangen zu werden, sondern so, wie es der Piratenhäuptling Ker Karraje verdient.

Sollte die Entsendung des *Sword* nur der Auftakt einer der Öffentlichkeit überantworteten Vergeltung gegen *Back Cup* gewesen sein, so ergibt sich daraus eine Frage – eine Frage von höchster Wichtigkeit für die nächste Zukunft.

Sehr indirekt, um ja keinen Verdacht zu erwekken, wage ich es eines Tages, Ingenieur Serkö gegenüber dieses Problem anzuschneiden.

Wir standen in der Nähe von Thomas Rochs Labor und unterhielten uns schon eine ganze Weile, als Ingenieur Serkö noch einmal auf das merkwürdige Auftauchen eines Unterseebootes englischer Nationalität im Gewässer der Lagune zu sprechen kam. Heute schien er der Ansicht zuzuneigen, es habe sich dabei doch um einen vorsätzlichen Anschlag gegen Ker Karrajes Bande gehandelt.

»Das glaube ich weniger«, antwortete ich, um dann zu der Frage überzuleiten, um die es mir ging.

»Warum nicht?« wollte er vorher noch wissen.

»Wenn Ihr Schlupfwinkel bekannt wäre, hätte man bestimmt schon versucht, *Back Cup* im Sturm zu nehmen – oder es zumindest durch Artilleriebeschuß zu zerstören.«

»Zerstören!« rief Ingenieur Serkö, »zerstören! Das wäre bei der Abwehr, die wir inzwischen organisiert haben, für den Angreifer glatter Selbstmord!«

»Aber davon weiß doch niemand etwas, Monsieur Serkö! Weder in der Alten noch in der Neuen Welt hat man die geringste Ahnung, daß die Entführung aus dem *Healthful House* von Ihnen und zu Ihren Gunsten durchgeführt wurde – und daß es Ihnen tatsächlich gelungen ist, Thomas Roch seine Erfindung abzukaufen.«

Ingenieur Serkö antwortet nicht auf diese Bemerkung, gegen die es ja auch keine stichhaltigen Argumente gibt.

Und ich fahre fort:

»Ein Kampfgeschwader, das von den Seemächten ausgesandt würde, die an der Vernichtung der Insel interessiert wären, würde nicht zögern, heranzufahren und seine Breitseiten abzufeuern. Das ist aber bis heute noch nicht geschehen, und es wird auch nicht dazu kommen – ganz einfach deshalb, weil noch kein Mensch weiß, daß es Ker Karraje ist, der in dieser Höhle haust. Sie müssen doch zugeben, daß Sie in einer sehr günstigen Position sind!«

»Meinetwegen«, antwortet Ingenieur Serkö, »aber das ist ja auch alles unwichtig. Ob man nun etwas weiß oder nicht: Sobald Kriegsschiffe auf vier oder fünf Meilen herankommen, werden sie in Grund gebohrt, bevor sie die erste Salve aus dem Rohr haben.«

»Schön«, sage ich, »aber was dann?«

»Was dann? – Ich möchte doch stark annehmen, daß es die andern dann sein lassen!«

»Zugegeben. Aber die Flotte wird doch außerhalb des Todesgürtels vor Anker bleiben, und die *Ebba* hat keine Möglichkeit mehr, die Häfen aufzusuchen, von denen Graf d'Artigas sonst den Proviant beschaffte. Wie steht es dann um die Versorgung der Insel?«

Ingenieur Serkö schweigt.

Sicher hat ihn dieses Problem auch schon beschäftigt, und ebenso sicher scheint mir, daß er keine Lösung gefunden hat. Er bestärkt mich in der Annahme, daß die Piraten ernsthaft daran denken, *Back Cup* aufzugeben.

Doch Ingenieur Serkö will sich durch meine Argumentation nicht an die Wand drücken lassen, und so meint er nach einiger Überlegung:

»Immerhin würde uns dann noch der *Tug* bleiben – und was die *Ebba* nicht mehr kann, das schafft unser Unterseeboot.«

»Euer *Tug*?« rufe ich. »Wenn man von Ker Karraje erst einmal alles weiß, dann ist wohl anzunehmen, daß man sich auch an die Geschichte von dem verlorengegangenen Unterseeboot des Grafen d'Artigas erinnert!«

Ingenieur Serkö wirft mir einen argwöhnischen Blick zu.

»Monsieur Simon Hart«, sagt er, »Sie gehen ein bißchen weit in Ihren Schlußfolgerungen!«

»Wieso ich, Monsieur Serkö?«

»Ja – ich finde überhaupt, Sie sprechen über diese Dinge wie ein Mann, der mehr weiß, als er eigentlich wissen kann.«

Damit schneidet er mir das Wort ab. Offenbar ist er nach meiner letzten Bemerkung nicht mehr restlos von meiner Unschuld im Zusammenhang mit der *Sword*-Affäre überzeugt. Er läßt mich nicht aus den Augen, seine Blicke durchbohren mich – stechen mir ins Gehirn.

Ich beherrsche mich und antworte sehr ruhig:

»Monsieur Serkö! Ich habe mir angewöhnt – und mein Beruf zwingt mich dazu, alle Probleme genau zu durchdenken. Und wenn ich Ihnen das Ergebnis meiner Überlegungen mitteile, so können Sie damit machen, was Sie wollen!«

Damit trennen wir uns. Vielleicht war ich doch nicht zurückhaltend genug und habe einen Verdacht geweckt, den Ingenieur Serkö jetzt nicht so schnell wieder loswird.

Aber eine Sache von allergrößtem Interesse hat er mir – ganz nebenbei – doch wieder verraten: Ich weiß jetzt, daß dieser Todesgürtel, den der Fulgurator legen kann, sich in einer Entfernung von vier bis fünf Meilen befindet. Vielleicht – bei der nächsten Aequinoktialebbe – eine neue Flaschenpost – aber das dauert jetzt wieder Monate, bis der Pegel so weit sinkt! Und dann, würde diese zweite Botschaft auch wieder das unwahrscheinliche Glück haben, den Empfänger zu erreichen?

Das schlechte Wetter dauert an, die Böen sind schlimmer denn je, doch das ist man auf den Bermudas im Winter ja gewöhnt. Aber es könnte natürlich auch der Grund sein, der einen zweiten Vorstoß gegen *Back Cup* verzögert!

Leutnant Davon hatte mir doch versichert: Falls seine Mission scheiterte und der *Sword* nicht nach Saint-Georges zurückkehrte, sollte eine zweite Expedition unter günstigeren Vorbedingungen ausgerüstet werden, um das Seeräubernest auszuräuchern. Es ist ja so bitter nötig, daß früher oder später der Arm der Gerechtigkeit *Back Cup* ereilt – auch wenn ich selbst den Untergang der Insel nicht überlebe!

Ach wenn ich nur noch einmal – und sei es für wenige Augenblicke – die freie Luft draußen auf dem Meer atmen könnte! Warum darf ich nicht wenigstens noch einen Blick auf den fernen Horizont der Bermudas werfen? Mein ganzes Leben drängt sich in diesem einzigen, letzten Wunsch zusammen: Ich möchte durch den Stollen kriechen, an den Strand hinunterklettern, mich zwischen den Felsblöcken verstecken. Wer weiß – vielleicht wäre ich der erste, der die Rauchsäulen eines auf die Insel zusteuernden Geschwaders entdeckte?!

Leider bleiben solche Wünsche utopisch: Beide Enden des Stollens sind Tag und Nacht von mehreren Posten bewacht. Niemand darf ohne die Sondergenehmigung des Ingenieurs Serkö herein oder hinaus. Schon mit dem geringsten Versuch würde ich das größte Risiko eingehen: Mit meiner Bewegungsfreiheit innerhalb der Höhle wäre es in jedem Fall vorbei – vielleicht stünde mir weit Schlimmeres bevor.

Eines fällt mir auf: Seit unserem letzten Gespräch hat Ingenieur Serkö sein Benehmen mir gegenüber geändert. Sein Blick ist nicht mehr ironisch und arrogant wie vorher, sondern mißtrauisch, lauernd, inquisitorisch – und dabei so hart wie der Ker Karrajes.

17. November. Heute, am Nachmittag, stand Bee-Hive plötzlich in heller Aufregung. Alle stürzen aus den Zellen und schreien wild durcheinander.

Auch ich springe hoch – will sehen, was los ist.

Die Piraten laufen zum Stollen, wo sich schon Ker Karraje, Ingenieur Serkö, Kapitän Spade, Steuermann Effrondat, Maschinist Gibson und der malaiische Leibwächter des Grafen d'Artigas versammelt haben.

Die Ursache dieses Tumults erfahre ich sehr bald, denn schon geben die Wächter Alarm.

Sie melden: Im Nordwesten werden Schiffe gesichtet – Kriegsschiffe, die mit Volldampf auf *Back Cup* zusteuern.

SECHZEHNTES KAPITEL

NOCH WENIGE STUNDEN

Diese Nachricht springt mich an wie ein Tier! Ich spüre die Aufregung im ganzen Körper! Jetzt kommt das Ende – und es wird das Ende sein, das Menschlichkeit und Zivilisation erfordern!

Bis heute habe ich meine Beobachtungen täglich niedergeschrieben. Von diesem Augenblick an muß ich mich Stunde um Stunde – Minute um Minute – auf dem laufenden halten. Wer weiß – vielleicht enthüllt sich mir Thomas Rochs letztes Geheimnis erst, wenn ich es nicht mehr zu Papier bringen kann? Vielleicht komme ich bei dem Angriff ums Leben? Aber dann gebe Gott, daß jemand in meinen erstarrten Händen das Tagebuch findet, in dem der Bericht steht über die letzten fünf Monate, die ich in *Back Cup* zugebracht habe.

Gleich zu Anfang haben Ker Karraje, Ingenieur Serkö, Kapitän Spade und eine Gruppe Piraten am Fuß der äußeren Felsen des Eilands Stellung bezogen. Was gäbe ich darum, wenn ich folgen

könnte – mich zwischen Felsblöcken verbergen – die Flotte beobachten, die man gesichtet hat!

Aber schon eine Stunde später kommen alle nach Bee-Hive zurück; nur eine Wache von etwa zwanzig Mann bleibt draußen. Um diese Jahreszeit sind die Tage schon recht kurz, deshalb ist vor morgen nichts zu befürchten. Denn für eine sofortige Ausschiffung von Sturmtruppen ist es schon zu spät. Und bei den furchtbaren Verteidigungswaffen, von denen der Angreifer weiß, daß sie den Piraten zur Verfügung stehen, ist an eine Invasion während der Nacht nicht zu denken.

Bis in die tiefe Dunkelheit hinein arbeitet Ker Karraje daran, die Lafetten auf die an verschiedenen Stellen des Strandes errichteten Abschußrampen montieren zu lassen. Es sind sechs Stück – sie werden durch den Stollen geschleppt und dann einsatzbereit gemacht.

Ingenieur Serkö sucht Thomas Roch wieder in seinem Labor auf. Will er ihn von der Situation in Kenntnis setzen? Will er ihm mitteilen, daß ein Geschwader vor *Back Cup* liegt? Will er ihm sagen, daß jetzt sein Fulgurator zur Verteidigung der Insel eingesetzt werden soll?

Ich weiß nur eines: Etwa fünfzig Raketen, jede davon mit mehreren Kilogramm des fürchterlichen Sprengstoffs geladen und von einer Reichweite, die der aller bisher bekannten Geschosse weit überlegen ist, stehen bereit, ihr Werk der Vernichtung zu beginnen.

Eine Batterie mit Zündflüssigkeit gefüllter Reagenzgläschen ist auch schon vorhanden – und leider weiß ich nur zu gut, daß Thomas Roch sie dem Piraten Ker Karrajes zur Verfügung stellen wird.

Unter fieberhaften Vorbereitungen wird es allmählich Nacht. Die Höhle liegt schon im Halbdunkel, denn nur die Lampen vor Bee-Hive brennen.

Ich gehe in meine Zelle, denn ich will jetzt möglichst wenig auffallen. Immerhin habe ich mich durch meine letzten Bemerkungen Ingenieur Serkö gegenüber verdächtig gemacht – vielleicht erinnert er sich daran, wenn er das Geschwader auf *Back Cup* zudampfen sieht?

Aber werden die beobachteten Schiffe auch ihre Richtung beibehalten? Werden sie nicht an den Bermudas vorbeifahren und am Horizont verschwinden? Einen Augenblick lang überkommen mich schreckliche Zweifel. Aber nein! Unmöglich! Und Kapitän Spade hat es selber beobachtet und mir bestätigt: Die Schiffe bleiben in Sichtweite vor der Insel!

Welcher Nationalität sie wohl sind? Haben die Engländer nach dem Verlust ihres *Sword* die Vergeltungsexpedition alleine gestartet? Oder haben sich Seestreitkräfte anderer Großmächte ihnen angeschlossen? Keine Ahnung – woher sollte ich's wissen? – Und wozu auch? Wichtig ist nur, daß dieses Wespennest ausgeräuchert wird – selbst wenn es mir dabei nicht besser ergeht als dem tapferen Leutnant Davon und seinen braven Männern!

Die Verteidigungsvorbereitungen werden unterm Kommando von Ingenieur Serkö kaltblütig und methodisch fortgesetzt. Offenbar sind die Piraten der festen Überzeugung, daß sie den Feind vernichten können, sobald er in den Todesgürtel einfährt. In ihren Fulgurator Roch haben sie uneingeschränktes Vertrauen. Sie sind völlig sicher in ihrem Glauben, daß die Schiffe draußen verloren sind, und kommen erst gar nicht auf die Idee, daß es vielleicht doch unerwartete Schwierigkeiten geben könnte.

Ich nehme an, die Rampen stehen auf dem Nordwestufer. Und die Lafetten beziehungsweise ihre Gleitschienen sind so schwenkbar, daß sie ihre Fulguratorraketen nach Norden, Westen und Süden abfeuern können. Die Ostflanke ist ja durch Klippen gesichert, die sich bis zu den ersten Bermudainseln hinziehen.

Gegen neun Uhr traue ich mich aus meiner Zelle. Man wird bestimmt nicht auf mich achten – vielleicht gelingt es mir sogar, unterm Mantel der Nacht durch den Stollen zu kommen und mich draußen hinter Felsblöcken versteckt zu halten. Wenn ich morgen dabei sein und alles mitansehen könnte! Und jetzt hätte ich die Chance, denn inzwischen stehen Ker Karraje, Ingenieur Serkö, Kapitän Spade und fast alle Piraten wieder draußen auf ihren Posten!

Die Ufer der Lagune liegen jetzt völlig verlassen – allerdings wird der Eingang zum Stollen von dem Malaien des Grafen d'Artigas bewacht. Trotzdem gehe ich los und wende mich zunächst – ohne Absicht oder Veranlassung – dem Labor Thomas Rochs zu.

Ich denke eigentlich die ganze Zeit nur noch an ihn. Ich glaube nicht, daß er etwas weiß von der bevorstehenden Invasion. Ingenieur Serkö wird ihn erst im letzten Augenblick von der Gefahr in Kenntnis setzen – und damit von der Möglichkeit, sich endlich zu rächen!

Dabei kommt mir plötzlich eine Idee! Auch für mich ist das jetzt der letzte Augenblick – die letzte Chance: Thomas Roch über alles aufzuklären! Welche Verantwortung er auf sich laden würde! Was das für Leute sind, die seine Hilfe in Anspruch nehmen! Und welches Verbrechen er begehen soll!

Ja – ich will zumindest den Versuch machen! Seine Verbitterung ist zwar grenzenlos, aber vielleicht hat er sich noch einen letzten Rest Patriotismus bewahrt?

Thomas Roch ist in seinem Labor. Wahrscheinlich allein, denn er hat nie geduldet, daß ihm irgend jemand bei der Herstellung seiner Zündflüssigkeit assistierte.

Ich gehe also zu seinem Labor hinüber. Auf dem Weg kann ich mich überzeugen, daß der *Tug* wie gewöhnlich an seiner Mole verankert liegt.

Ich will vorsichtig sein und mache einen Umweg durch die ersten Reihen der Pfeiler. So erreiche ich das Labor von der Seite und kann mich vergewissern, daß nicht vielleicht doch jemand bei Thomas Roch ist.

Während ich mich durch das dunkle Gewölbe

vorantaste, sehe ich einen Lichtschein, der sich über die Lagune bis ans gegenüberliegende Ufer hinstreckt. Er kommt aus dem Labor und dringt aus einem schmalen Fenster der Vorderfront.

Das ganze übrige südliche Ufer liegt im Dunkel, während inzwischen auf der andern Seite der Lagune vor Bee-Hive und bis zur Nordwand hin die Lampen angezündet wurden. Im Krater über der Lagune blinken einige Sterne. Der Himmel ist wolkenlos, der Sturm hat sich gelegt, und keine Luftwirbel fallen mehr in *Back Cup* ein.

Ich stehe neben dem Labor. Ich schleiche um die Ecke, richte mich vorsichtig hoch, bis ich durch das Fenster schauen kann.

Ich sehe Thomas Roch. Er ist allein. Sein hell angestrahltes Gesicht ist mir dreiviertel zugedreht. Er ist übermüdet. Seine Züge sind schlaff, seine Stirnfalten scharf. Aber seine Haltung ist ruhig und ausgeglichen, sein Ausdruck überlegt und beherrscht. Nein, das ist nicht mehr der Patient vom Pavillon Nr. 17, nicht mehr der Geisteskranke aus *Healthful House*. Ich frage mich, ob er wohl völlig geheilt und gesund ist – ob man nicht befürchten muß, daß sein Geist sich in einer letzten, entscheidenden Krise doch noch umnachtet?

Thomas Roch hat gerade zwei Reagenzgläser in ein Wandgestell eingesteckt – ein drittes Glas hält er in der Hand. Er schwenkt es vor dem Lichtschein der Hängelampe, um zu prüfen, ob die Flüssigkeit klar bleibt.

Im ersten Augenblick würde ich am liebsten hineinstürzen ins Labor, die Gläser herunterreißen, am Boden zertrampeln. Aber Thomas Roch hätte ja bald wieder genügende Mengen von diesem Teufelszeug hergestellt – nein, es ist besser, ich bleibe bei meinem ursprünglichen Plan.

Ich stoße die Tür auf, trete ein und sage:

»Thomas Roch!«

Er sieht mich nicht und scheint mich auch nicht zu hören.

»Thomas Roch«, wiederhole ich.

Da hebt er den Kopf, dreht sich um und schaut mich an.

»Ah – Sie sind es, Simon Hart?« meint er ruhig und mit ziemlich gleichgültiger Stimme.

Also kennt er meinen Namen. Ingenieur Serkö muß ihm gesagt haben, daß sein Pfleger in *Healthful House* nicht Gaydon, sondern Simon Hart hieß.

»Dann wissen Sie –?« frage ich.

»Ich weiß alles! Auch warum Sie damals meine Pflege übernommen haben! Sie hofften, ich würde Ihnen meine Erfindung ausliefern, für die mir keiner den Preis zahlen wollte, den sie wert ist!«

Thomas Roch ist also informiert, aber das kann nur gut sein im Hinblick auf das, was ich ihm sagen will.

Er fährt fort:

»Sie haben natürlich nichts erfahren, Monsieur Hart! – Und das hier –« dabei schüttelt er die

Flüssigkeit im Reagenzglas, »geht überhaupt keinen was an – außer mir! Nein, *die* Formel kriegt keiner!«

Dachte ich mir's doch: Die Analyse seines Deflagrators hat er für sich behalten!

Ich schaue ihm offen ins Gesicht, dann antworte ich:

»Sie wissen also, wer ich bin, Thomas Roch. – Wissen Sie aber auch, wo *Sie* sind?«

»Zu Hause!« schreit er mich an.

Das also ist Ker Karraje gelungen: Der Erfinder lebt in dem Wahn, er sei in *Back Cup* zu Hause. Er betrachtet alles Gold und Silber in dieser Höhle als sein Eigentum. Wer *Back Cup* angreift, will ihm an seinen Besitz! Und er wird ihn verteidigen – das ist sein gutes Recht!

»Thomas Roch«, versuche ich es wieder, »hören Sie mir jetzt einmal gut zu!«

»Was haben Sie mir zu sagen, Simon Hart?«

»Die Höhle, in die man uns beide verschleppt hat, ist der Schlupfwinkel einer Seeräuberbande!«

Thomas Roch läßt mich nicht aussprechen – ich weiß nicht einmal, ob er verstanden hat. Er fährt mich hektisch an:

»Wie oft soll ich Ihnen noch sagen: Die hier deponierten Werte sind der Kaufpreis für meine Erfindung! Sie gehören mir! Man hat für den Fulgurator Roch bezahlt, was ich verlangte! Alle andern hatten das nicht! Auch Frankreich nicht! Mein Vaterland! Übrigens auch Ihr Vaterland,

Monsieur Hart! – Ich frage Sie: Läßt man sich von seinem Vaterland gern ausplündern?«

Was soll man auf einen solchen Unsinn erwidern: Ich sage nur:

»Thomas Roch, Sie erinnern sich doch noch an *Healthful House*?«

»*Healthful House?* Wo man mich eingesperrt hat, und den Wärter Gaydon dazu, weil er mich aushorchen sollte – jedes Wort, bis er mein Geheimnis kannte – und es stehlen konnte –«

»Ich hatte niemals auch nur die geringste Absicht, Sie um den Erfolg oder Nutzen Ihrer Erfindung zu bringen, Thomas Roch! Dazu hätte mich auch kein Mensch veranlassen können! Nein, Sie waren krank, Ihre Nerven waren ruiniert – und eine so bedeutende Erfindung durfte einfach nicht verlorengehen! Hätten Sie mir tatsächlich während eines Anfalls Ihr Geheimnis verraten, wäre es bei mir in sicheren Händen gewesen! Ich hätte Sie weder um die Ehre dieser Erfindung gebracht noch um den Verdienst!«

»Ach Simon Hart«, meint Thomas Roch und winkt verächtlich ab »Ehre und Verdienst – das sagen Sie mir alles ein bißchen spät! Oder erinnern Sie sich nicht mehr, wie man mich in dieses Loch gesperrt hat – unter dem Vorwand, ich sei verrückt? – Ja unter dem Vorwand! Ich war nicht verrückt – nie – nicht eine Minute! Hier haben Sie doch den Beweis! Was habe ich nicht alles zustande gebracht, seit ich wieder frei bin!«

»Frei?! – Sie glauben, Sie sind frei, Thomas Roch – weil man Ihnen das Tag und Nacht einredet! Zwischen den Felsen dieser Höhle sind Sie genauso eingesperrt wie in den Mauern von *Healthful House!*«

»Ich bin hier zu Hause – und frei!« schreit Thomas Roch, und seine Stimme überschlägt sich beinahe vor Erregung. »Ich kann hier kommen und gehen, wann ich will! Ich brauche nur ein Wort zu sagen, und alle Türen öffnen sich! Diese Wohnung gehört mir! Graf d'Artigas hat sie mir abgetreten – mit allem, was drin ist! Gnade denen, die sie mir streitig machen wollen! Ich habe die Mittel in der Hand, sie zu vernichten, Simon Hart!«

Und bei diesen Worten schüttelt er wieder die Flüssigkeit in seinem Reagenzglas.

Ich beschwöre ihn:

»Dieser Graf d'Artigas betrügt Sie, Monsieur Roch! – So wie er alle andern betrügt! Er ist auch gar kein Graf – er hat diesen Titel – und Namen – angenommen! In Wirklichkeit ist er einer der schlimmsten Verbrecher, die jemals auf dem Stillen Ozean und auf dem Atlantik gehaust haben! Er ist ein Bandit – ein mit dem Blut tausender unschuldiger Seeleute besudelter Pirat! – Er ist kein anderer als der berüchtigte Ker Karraje!!«

»Ker Karraje –?« wiederholt Thomas Roch.

Ich kann nicht herausfinden, ob ihm dieser Name etwas sagt – oder bedeutet. Jedenfalls – wenn er sich überhaupt an Ker Karraje erinnert, so verflüchtigt sich dieser Eindruck sofort wieder.

»Ich kenne keinen Ker Karraje«, sagt Thomas Roch und deutet mit dem Arm zur Tür, als wolle er mich wegschicken. »Ich habe nur mit dem Grafen d'Artigas zu tun!«

Ich versuche es ein letztes Mal: »Thomas Roch! Graf d'Artigas und Ker Karraje – das ist ein und dieselbe Person! Und wenn Ihnen dieser Mensch Ihren Fulgurator abgekauft hat, so wollte er sich damit nur Straflosigkeit für seine bisherigen Verbrechen zusichern – und die Möglichkeit verschaffen, neue zu begehen! Ja! Dieser Räuberhauptmann –«

»Räuber«, schreit Thomas Roch und verliert den letzten Rest seiner Selbstbeherrschung – »Räuber sind alle, die mich bis in dieses Versteck hinein verfolgen und bedrohen – wie die Leute von diesem *Sword* – ja, Serkö hat mir alles gesagt: Meine Wohnung wollen sie mir wegnehmen, mein Geld stehlen – den Preis für meine Erfindung!«

»Nein, Thomas Roch! Glauben Sie mir! Bestohlen werden Sie von diesen Piraten, die Sie in *Back Cup* gefangen halten! Ihr Genie, Ihre Erfindung, all das wird doch nur von ihnen zu ihrer eigenen Verteidigung benützt! Und sobald man sicher ist – und Ihre sämtlichen Geheimnisse kennt – wird man Sie liquidieren!«

Thomas Roch unterbricht mich noch einmal. Die Zusammenhänge begreift er offenbar doch nicht mehr. Er kann nur noch seine eigenen Gedanken weiterverfolgen, und sie sind ein Gemisch aus Haß und Rache – als Ergebnis einer geschickten und geduldigen Erziehungsarbeit des Ingenieurs Serkö.

»Die Piraten«, so steigert er sich weiter in seine blinde Wut hinein, »die Piraten – das sind die andern! Die mich zum Teufel gejagt haben! Die nicht auf mich hören wollten! Die mich behandelt haben wie einen Krüppel – einen Zwerg! Mich aus dem Land, durch die ganze Welt jagten! Mich, den Mann, der ihnen die Unbesiegbarkeit angeboten hat – die Allmacht!«

Es ist die ewige Tragödie des Erfinders, den man verkennt. Dem Gleichgültigkeit, Kurzsichtigkeit und Neid die Mittel zur Realisierung seiner Entdeckung ebenso verweigern wie den Preis, den er verlangt. Ich kenne viele – auch übertriebene – Geschichten, die gerade dieses Thema behandeln.

Im Augenblick jedenfalls wäre es sinnlos, mit Thomas Roch weiter zu diskutieren. Ich sehe ein, daß meine Argumente überhaupt nicht ankommen bei diesem von Haß und Enttäuschung zerrütteten Menschen, den sich Ker Karraje und seine Kumpane zu ihrer Marionette gemacht haben.

Ich habe den Grafen d'Artigas bei seinem wahren Namen genannt. Ich habe Thomas Roch über die Piratenbande und ihren Häuptling reinen Wein eingeschenkt. Ich habe ihm zu erklären versucht, für welche Verbrechen man ihn einspannt – seine Erfindung benützen will. Ich habe gehofft, er könne sich losreißen von ihrem teuflischen Einfluß. Es war ein Irrtum! Er glaubt mir nicht! Er glaubt den andern. Und ob das ein Graf d'Artigas ist oder Ker Karraje, spielt für ihn keine Rolle mehr.

Er selbst, Thomas Roch, ist der Herr und Besitzer von *Back Cup*. Alle Schätze, die Mord und Totschlag hier zwanzig Jahre lang aufgehäuft haben, gehören ihm – das allein zählt noch für ihn.

Vor diesem Übermaß an moralischer Unzurechnungsfähigkeit strecke ich die Waffen. Ich weiß wirklich nicht mehr, an welcher Stelle des Verantwortungsbewußtseins man diese in ihrem sittlichen Kern vergiftete Natur noch treffen könnte – und ziehe mich langsam zur Tür zurück. Es bleibt mir wohl nichts übrig als zu gehen. Was geschehen soll, wird geschehen. Es liegt nicht in meiner Macht zu verhindern, daß sich dieser Knoten in wenigen Stunden auf entsetzliche Weise lösen wird.

Thomas Roch sieht mich schon nicht mehr. Er scheint vergessen zu haben, daß ich noch hinter ihm stehe, ebenso wie er vergessen hat, was zwischen uns besprochen wurde. Er setzt seine Arbeit fort, als ob er wieder allein sei.

Jetzt bliebe mir nur noch ein einziges Mittel, die bevorstehende Katastrophe – vielleicht – zu verhindern. Ich müßte mich auf ihn stürzen, ihn zu Boden schlagen, töten – ja, töten! Das ist mein Recht – meine Pflicht!

Ich habe zwar keine Waffen, aber dort auf dem Regal liegt Werkzeug – ein Meißel, ein Hammer. Wer hindert mich, dem Erfinder den Schädel einzuschlagen? Ist er tot, zertrümmere ich alle Reagenzgläser, und damit ist seine Erfindung gestorben – mit ihm! – Dann soll die Flotte kommen! Die Sturmtruppen können an Land gehen, die

Insel erobern! Ker Karraje und seine Piraten werden niedergemacht – bis zum letzten Mann! Kann ich da noch zögern? Ist dieser Totschlag nicht ein Opfer, das die Bestrafung von tausend Morden ermöglicht? Und vielleicht hunderttausend künftige Morde verhindert?

Ich gehe zurück zum Regal. Da liegt der Meißel aus Stahl. Ich will nach ihm greifen.

Thomas Roch wendet sich nach mir um.

Zu spät – ich kann ihn nicht mehr niederschlagen. Es käme zum Kampf – Kampf bedeutet Tumult – er würde um Hilfe rufen – man würde es hören. Ringsum in der Nähe sind noch Piraten – ihre Schritte knirschen im Sand. Ich muß weg – sie dürfen mich hier nicht sehen!

Aber ich muß noch einmal versuchen, in Thomas Roch die Gefühle für Menschlichkeit und Patriotismus zu wecken. Ich rufe ihn an:

»Thomas Roch! Es sind Kriegsschiffe in Sicht! Sie kommen, um dieses Seeräubernest zu zerstören! Vielleicht führt eines davon die Flagge Frankreichs!«

Thomas Roch schaut mich an. Offenbar wußte er noch nicht, daß ein Angriff auf *Back Cup* bevorsteht – und er hat es jetzt von mir erfahren. – Die Furchen in seiner Stirn werden tiefer – in seinen Augen blitzt es.

Ich frage: »Thomas Roch! Wären Sie imstande, auf Ihre eigene Flagge – auf die Trikolore – zu feuern?«

Thomas Roch hebt den Kopf, schüttelt ihn unwillig und macht eine wegwerfende Handbewegung.

»Sie würden auf Ihr Vaterland schießen??«

»Vaterland? Ich habe kein Vaterland mehr!« schreit er. »Der Erfinder, den man zum Teufel gejagt hat, kennt kein Vaterland mehr! Dort, wo man ihn aufgenommen hat, gehört er hin! Da ist sein Vaterland! Man will mich hier ausrauben – ich werde mich verteidigen! Wehe denen, die uns angreifen!«

Dann läuft er zur Tür seines Labors und reißt sie auf:

»Raus! Raus mit Ihnen!« Sein Geschrei ist so laut, daß man es bis hinüber ans Ufer von Bee-Hive hören muß.

Ich habe keine Sekunde zu verlieren und verschwinde.

SIEBZEHNTES KAPITEL

EINER GEGEN FÜNF

Eine Stunde lang bin ich unter den finsteren Wölbungen von *Back Cup* umhergeirrt, zwischen den Steinpfeilern und bis in die äußersten Winkel der Höhle hinein. Es sind die Stellen, wo ich oft einen

Ausgang gesucht habe, eine Spalte, einen Riß in der Wand, durch den ich mich hätte zwängen können – nach draußen, an den Strand der Insel.

Meine Mühen waren immer vergeblich gewesen. Und jetzt verfolgen mich unerklärliche Halluzinationen. Mir ist, als würden diese Wände noch dicker, als rückten die Steinmauern meines Gefängnisses auf mich zu und erdrückten mich –.

Wie lange ich diesen Wahnvorstellungen ausgeliefert war, kann ich nicht sagen. Erst als ich wieder Bee-Hive vor mir habe, komme ich zur Besinnung. Soll ich zurück in meine Zelle? Aber dort komme ich ja auch nicht zur Ruhe! Ich kann nicht schlafen in diesem völlig überreizten Zustand! Ich muß jeden Augenblick daran denken, daß morgen etwas zu Ende gehen wird, was sich ebensogut über viele Jahre hätte hinschleppen können.

Die Entscheidung steht bevor. Aber wie wird sie ausfallen – für mich? Was habe ich zu erwarten von dem Angriff auf *Back Cup*? Ich konnte nichts beitragen zum Erfolg. Ich konnte Thomas Roch und seinen Deflagrator nicht ausschalten. Jetzt liegen die Raketen auf ihren Lafetten, und sobald die Schiffe in den Todesgürtel eindringen, werden sie vernichtet.

Wie es auch kommen mag – ich bin verdammt, die letzten Stunden dieser Nacht in meiner Zelle zu verbringen. Ich muß jetzt hinein – ob ich will oder nicht. Mit Anbruch des neuen Tages werde ich weiter sehen. Ich weiß nicht einmal, ob es nicht vielleicht schon in der Nacht losgeht. Ob nicht plötzlich die Detonationen des Fulgurator Roch die Felsen erschüttern. Vielleicht bohrt man das Geschwader in Grund, bevor es sich in Schlachtlinie aufstellen kann?

Ich werfe noch einen letzten Blick auf das Ufer von Bee-Hive. In der Lagune tanzt ein Licht – ein einziges. Es ist der Widerschein der Lampe aus Thomas Rochs Labor.

Die Ufer sind menschenleer, auch auf der Mole ist niemand. Bee-Hive scheint völlig verlassen – offensichtlich sind alle – bis auf den letzten Mann – schon draußen auf ihren Posten.

Ich kann nicht in meine Zelle zurück! Ein unwiderstehlicher Drang treibt mich fort! Ich schleiche und krieche an den Felsen entlang, leise und wachsam und immer auf dem Sprung nach irgendeinem Loch in der Wand, falls ich Stimmen oder Schritte hören würde.

So komme ich zum Eingang des Stollens.

Allmächtiger –: Kein Posten – der Weg ist frei!

Ich habe keine Zeit zum Überlegen: Ich laufe hinein – die Hände vorgestreckt – und taste mich weiter! Und da weht mir schon die Luft ins Gesicht, die ich seit fünf langen Monaten nicht mehr atmen durfte: Frisch, lebendig, reich an Salz und Sauerstoff – und ich sauge sie gierig in meine hungrigen Lungen.

Überm Ausgang des Stollens öffnet sich ein mit

Sternen übersäter Himmel. Kein Nebelschatten trübt ihn. Nie mehr werde ich in die Höhle zurück müssen!

Ich werfe mich flach auf den Boden und arbeite mich langsam und geräuschlos voran. Ich hebe den Kopf über den ersten Felsbrocken und schaue mich um.

Niemand! Kein Mensch!

Ich schleiche zur Ostspitze der Insel, die nicht besetzt wurde, weil hier vorgelagerte Klippen eine Landung unmöglich machen – und erreiche eine enge Einbuchtung etwa zweihundert Meter von einer Landzunge, die sich nach Nordwesten hinausschiebt.

Damit bin ich endgültig aus dieser Höhle heraus! Zwar noch nicht frei – aber es ist doch ein Anfang, ein erster Schritt in die Freiheit.

Auf der Landzunge erkenne ich die unbeweglichen Silhouetten einzelner Wachposten – man könnte sie für aufgetürmte Felsbrocken halten.

Das Firmament ist glasklar, die Sternbilder leuchten im stechenden Glanz einer kalten Winternacht. Am nordwestlichen Horizont liegen die Positionslichter der Kriegsschiffe wie eine Kette feuriger Perlen.

Im Osten zeigt sich der erste fahle Schein der aufkommenden Morgendämmerung – ich schätze, es ist fünf Uhr.

18. November. Es ist jetzt hell genug – ich kann meine Aufzeichnungen weiterführen. Zunächst muß ich meinen Besuch bei Thomas Roch in seinem Labor nachtragen – und vielleicht sind das schon die letzten Zeilen von meiner Hand.

Ich fange an zu schreiben und werde versuchen, den bevorstehenden Angriff so einzutragen, wie er vor mir abläuft.

Die feinen Dunstschwaden, die übers Wasser ziehen, werden endlich von der aufkommenden Morgenbrise verscheucht, und ich erkenne die gemeldeten Kriegsschiffe.

Es sind fünf Kreuzer. Sie liegen in einer Linie, kaum sechs Seemeilen vor uns, also noch außerhalb der Reichweite von Rochs Raketen.

Eine meiner Befürchtungen hat sich also nicht bestätigt: daß diese Schiffe die Bermudas liegenlassen und ihre Fahrt nach den Antillen und Mexiko fortsetzen würden. Nein – sie bleiben. Sie liegen in Schlachtordnung und werden *Back Cup* angreifen, sobald der helle Tag angebrochen ist.

Allmählich wird es am Strand lebendig. Drei oder vier der Piraten tauchen zwischen den vordersten Felsblöcken auf. Die Posten auf der Spitze der Landzunge ziehen sich zurück. Die ganze Bande versammelt sich – offenbar hält man Kriegsrat.

Keiner von ihnen hat sich in die schützende Höhle zurückgezogen. Alle wissen, daß die Schiffe nicht nahe genug herankönnen, um die Insel mit ihren schweren Kalibern zu erreichen.

Ich hocke bis über die Ohren in einem Felsloch, wo ich keine Gefahr laufe, entdeckt zu werden. Es

ist auch unwahrscheinlich, daß jemand hierher kommt. Es müßte schon ein dummer Zufall eintreten: Wenn zum Beispiel Ingenieur Serkö oder ein anderer nachschauen würde, ob ich noch in meiner Zelle bin, oder wenn man mich dort einschließen wollte. Aber was haben sie denn von mir zu befürchten?!

Um sieben Uhr fünfundzwanzig gehen Ker Karraje, Ingenieur Serkö und Kapitän Spade zu der Landzunge, wo sie von der äußeren Felsenspitze aus den nordwestlichen Horizont beobachten. Hinter ihnen stehen sechs Lafetten auf ihrer Rampe – die Raketen liegen schon in den Gleitschienen. Sobald sie der Deflagrator gezündet hat, werden sie in flachem Bogen hinauszischen bis in den Todesgürtel, wo dann die Druckwelle ihrer Explosionen die Luft zum Orkan und das Wasser zu gigantischen Fontänen aufwühlen wird.

Sieben Uhr fünfunddreißig: Über den Kriegsschiffen stehen die ersten Rauchwolken – bald werden sie Fahrt aufnehmen und in die Reichweite des Fulgurators kommen.

Gräßliches Freudengebrüll der Piratenbande – eine Salve von ›Hurras‹: Ich komme mir vor wie in einem Käfig brüllender Raubtiere!

Da verläßt Ingenieur Serkö die Gruppe, nur Ker Karraje und Kapitän Spade bleiben zurück. Serkö steigt in den Stollen und geht zur Höhle – sicher wird er jetzt Thomas Roch holen.

Ker Karraje wird ihm befehlen, seine Raketen auf die Schiffe abzufeuern. Wird Thomas Roch sich an das erinnern, was ich ihm gesagt habe? Wird ihm das Verbrecherische seines Handelns nicht in erschreckender Deutlichkeit vor Augen stehen? Wird er sich weigern, den Befehl auszuführen? – Nein, ich bin leider nur allzu sicher! Warum soll ich mich irgendwelchen Illusionen hingeben? Ist der Erfinder nicht hier zu Hause? Er hat es mir oft genug gesagt – er glaubt daran! Und jetzt will man ihn angreifen – und er verteidigt sich!

Die fünf Kreuzer haben sich in Marsch gesetzt und rücken langsam vor. Sie steuern die Spitze der Landzunge an. Vielleicht hofft man an Bord, Thomas Roch habe den Piraten doch noch nicht alles verraten – und tatsächlich war das ja auch damals nicht der Fall, als ich die Flaschenpost in die Lagune warf.

Die Kommandanten der Schiffe wissen nicht, daß sie verloren sind. Daß sie sich auf keinen Fall in den Todesgürtel wagen dürfen. Daß sonst von ihren Kreuzern sehr bald nur noch unförmige Trümmer auf dem Meer treiben!

Und dort kommen auch schon Thomas Roch und Ingenieur Serkö. Sie verlassen den Stollen, richten sich auf und gehen zu den Lafetten, deren Raketen auf das Geschwader gerichtet sind.

Ker Karraje und Kapitän Spade warten schon.

Soweit ich es von meinem Versteck aus beurteilen kann, scheint Thomas Roch sehr gefaßt. Er weiß, was er zu tun hat. Dieses unglückliche Opfer von Haß und Enttäuschung wird keinen Augenblick zögern.

Zwischen seinen Fingern glitzert ein Reagenzglas: der Deflagrator.

Sein Blick richtet sich auf das vorderste der Schiffe, das noch etwa fünf Meilen entfernt sein mag und gemächlich auf die Insel zudampft.

Es ist ein Kreuzer mittlerer Größe, höchstens zweitausendfünfhundert Tonnen. Eine Flagge hat er nicht gehißt. Der Konstruktion nach scheint mir dieses Schiff einer Nation anzugehören, die uns Franzosen nicht übertrieben sympathisch ist.

Die vier anderen Schiffe fahren nebeneinander in der zweiten Linie.

So fällt dem ersten Kreuzer offenbar die Aufgabe zu, den Angriff gegen die Insel einzuleiten.

Wenn sie doch jetzt schon das Feuer eröffnen könnten, denn die Piraten müssen sie noch näher heranlassen! Und wenn ihr erster Schuß doch Thomas Roch treffen würde!

Während Ingenieur Serkö den Kurs des Schiffes genau verfolgt, hält sich Thomas Roch hinter der Lafette bereit.

Diese Lafette trägt drei der Raketen, deren Füllung eine beträchtliche Reichweite garantiert, ohne daß sie den Halbkreisbogen beschreiben muß, den der Erfinder Turpin für seine gyroskopischen Geschosse vorgesehen hatte. Überdies zerstört der Fulgurator sein Ziel auch dann, wenn er irgendwo im Umkreis von einigen hundert Metern explodiert.

Der Augenblick ist gekommen.

»Thomas Roch!« ruft Ingenieur Serkö.

Er deutet dabei mit dem Finger auf den Kreuzer. Dieser steuert langsam die Nordwestspitze an und ist noch etwa viereinhalb Seemeilen entfernt.

Thomas Roch nickt zustimmend und gibt durch eine Handbewegung zu verstehen, daß er jetzt allein sein möchte.

Ker Karraje, Kapitän Spade und die andern ziehen sich etwa fünfzig Schritt zurück.

Thomas Roch entkorkt sein Reagenzglas und gießt einige Tropfen der Zündflüssigkeit, die sich mit dem Treibstoff vermengen soll, in eine Art Bohrloch am Schwanz der Rakete.

Fünfundvierzig Sekunden dauert es, bis die Synthese sich vollzogen hat. Ich spüre, wie mein Herz zu schlagen aufhört.

Dann zerreißt ein entsetzliches Pfeifen die Luft: Die drei Geschosse ziehen in einem flachen, nur etwa hundert Meter hohen Bogen an dem Kreuzer vorbei.

Haben sie ihr Ziel verfehlt? Ist die Gefahr vorbei?

Nein! Wie die Diskusgeschosse des Artillerieoffiziers Chapel – wie die australischen Bumerangs – kehren sie zurück.

Und da wird die Luft schon mit der Gewalt eines explodierenden Dynamitlagers erschüttert. Die Druckwelle ist so stark, daß *Back Cup* in seinen Grundfesten zittert.

Ich öffne die Augen:

Der Kreuzer ist verschwunden. Auseinandergerissen, zertrümmert, versunken. Es war die Wirkung des Zalinskischen Geschosses, verhundertfacht durch die Sprengkraft des Fulgurator Roch.

Unbeschreiblich – das Siegesgeschrei der Piraten! Alle laufen zur äußersten Spitze der Landzunge.

Ker Karraje, Ingenieur Serkö und Kapitän Spade stehen versteinert. Sie können nicht glauben, was ihre Augen gesehen haben.

Thomas Roch steht gelassen da. Er kreuzt die Arme vor der Brust. Aber seine Augen leuchten, sein Gesicht strahlt.

Mein Abscheu vor ihm ist ebenso tief wie mein Verständnis: Der Triumph des Erfinders, in dem gestillte Rache den Haß verdoppelt!

Wenn jetzt die andern Schiffe kommen, wird es ihnen nicht besser ergehen als dem Kreuzer. Sie fahren ihm nach – dem sicheren Untergang entgegen – nichts wird sie retten. Und mit ihnen versinkt meine letzte Hoffnung.

Warum stoppen sie nicht? Warum drehen sie nicht ab? Warum ziehen sie sich nicht zurück – verzichten auf diesen selbstmörderischen Angriff? Die Seemächte werden andere Mittel finden, die Insel zu zerstören! Sie werden eine Blockade errichten – einen so dichten Gürtel von Kriegsschiffen um die Insel legen, daß die Piraten nicht ausbrechen können und in ihrem Schlupfwinkel verhungern wie ein böses Tier in seiner Höhle.

Aber ich weiß ja, daß ein Kriegsschiff nie zum Rückzug blasen darf – auch wenn es dem sicheren Untergang entgegenfährt. Auch die dort draußen

werden – eines nach dem andern – den Kampf aufnehmen, bis sie alle vier in den Tiefen des Ozeans versunken sind!

Und da werden auch schon von Bord zu Bord die verschiedensten Signale gewechselt. Und der

Horizont verdunkelt sich durch dicken Qualm, den der Wind nach Nordwesten treibt: Die vier Kriegsschiffe dampfen volle Kraft voraus auf uns zu.

Eines davon ist etwas schneller als die andern und fährt ihnen bald voraus. Mit Volldampf setzt es alles daran, möglichst rasch in Schußweite zu kommen, um uns aus allen Rohren unter Feuer nehmen zu können.

Ich achte nicht mehr auf die Gefahr und klettere aus meinem Loch. Ich starre mit brennenden Augen hinaus und warte auf die nächste Katastrophe, die ich nicht verhindern kann.

Das Schiff wird zusehends größer, es ist ein Kreuzer ähnlicher Tonnage wie der erste. Keine Flagge weht an seinem Mast – ich kann also seine Nationalität nicht feststellen. Funkengarben sprühen ihm aus den Schornsteinen. Er schürt unaufhörlich sämtliche Kessel – er will unbedingt den Todesgürtel durchstoßen, bevor die nächsten Raketen abgefeuert werden können. Aber das wird ihm nicht gelingen – der Fulgurator vernichtet ihn ja auch, wenn er hinter ihm einschlägt!

Thomas Roch ist zur nächsten Lafette gegangen. Der Kreuzer dreht in diesem Augenblick über der Stelle bei, an der das erste Schiff unterging. Eine Minute noch, und er wird ihm folgen!

Ringsum eine gespenstische Stille – nur von der See her ab und zu ein schwacher Windhauch.

Da – plötzlicher Trommelwirbel an Bord des

Kreuzers. Hornsignale! Ihre metallisch klaren Stimmen klingen deutlich zu uns herüber.

Ich erkenne diesen Klang – den Klang französischer Hörner! – Großer Gott! Es ist ein französisches Schiff, das dort den andern vorausfährt – und ein französischer Erfinder ist gerade dabei, es zu vernichten!

Nein – so etwas darf nicht sein! Ich muß zu Thomas Roch – mich auf ihn stürzen – ihm zurufen, daß es ein französisches Schiff ist! Er hat es noch nicht erkannt, aber dann wird er es erkennen!

Ingenieur Serkö gibt Thomas Roch das Zeichen – und dieser entkorkt das zweite Reagenzglas.

Jetzt klingen die Hörner noch lauter – sie schmettern den Flaggengruß. Und die Flagge geht hoch, entfaltet sich im Wind. Es ist die Trikolore, deren Blau-Weiß-Rot sich leuchtend vom Himmel abhebt.

Da – was ist das?! Ich kann es nicht glauben – aber meine Augen sehen es – und ich verstehe!! Thomas Roch hat den Flaggengruß gehört, aufgeschaut und die Flagge erblickt! Und steht auf einmal hilflos da – wie gelähmt. Er starrt nur noch auf die Flagge – und so, wie sie langsam hochsteigt, sinkt sein Arm mit dem Reagenzglas. Dann taumelt er zurück und schlägt die Hände vors Gesicht, als könnten seine Augen den Anblick der dreifarbigen Flagge nicht ertragen.

Allmächtiger Himmel! Es ist also doch noch

nicht alles Gefühl für Heimat und Nation gestorben in diesem tief verbitterten Herzen! Es schlägt noch beim Anblick der Flagge – *seiner* Flagge!

Ich bin nicht weniger aufgeregt als er selber. Ich krieche über die Felsen – es ist mir ganz gleichgültig, ob man mich sieht. Ich will bei ihm sein, ihm helfen! Er muß jetzt stark bleiben! Ich werde es mit meinem Leben bezahlen – aber ich muß einfach! Muß ihn beschwören – zum letztenmal!

»Franzose«, werde ich rufen, »es ist die Trikolore, die dort weht! Franzose, es ist ein französisches Schiff, das dort kommt! Ein Stück Frankreich! Franzose – du kannst nicht darauf schießen! Du kannst dich nicht so weit vergessen!!«

Mein Eingreifen scheint überflüssig. Thomas Roch wird keinen neuen Anfall bekommen. Er bleibt Herr seiner selbst.

Er hat die Flagge gesehen – und begriffen. Und er geht weg.

Ein paar Piraten wollen ihn wieder zur Lafette führen.

Er stößt sie zurück – er wehrt sich.

Ker Karraje und Ingenieur Serkö laufen zu ihm hin, gestikulieren, deuten auf das Schiff, das bedrohlich näher kommt. Sie befehlen, seine Rakete zu zünden.

Thomas Roch lehnt ab.

Kapitän Spade und alle andern schäumen vor Wut. Sie fluchen, schlagen auf ihn ein, wollen ihm das Fläschchen aus der Hand reißen.

Thomas Roch wirft es auf den Boden und zertritt es mit dem Absatz.

Da packt die Verbrecher das nackte Entsetzen. Der Kreuzer hat den Todesgürtel durchstoßen und eröffnet das Feuer. Die ersten Geschosse hageln auf den Strand – und keine Gegenwehr ist möglich! – Polternd stürzen die ersten abgesprengten Felsbrocken von der Wand.

Und Thomas Roch – wo ist er? Hat ihn eine Granate getroffen? – Nein, ich sehe ihn zum letztenmal, wie er in den Stollen hineinkriecht.

Ker Karraje, Ingenieur Serkö und die übrigen folgen ihm – sie suchen Schutz im Innern von *Back Cup*.

Ich selbst gehe nicht in diese Höhle zurück! Nie mehr! Um keinen Preis! Und wenn ich hier umkomme! – Ich stecke meine letzten Notizen ein, und wenn die ersten französischen Stoßtruppen an Land gehen – dort, an der Felsenspitze – dann werde ich laufen, wie ich noch nie in meinem Leben – – – –

(Ende der Tagebuchnotizen des Ingenieurs Simon Hart.)

ACHTZEHNTES KAPITEL

AN BORD DES KREUZERS TONNANT

Leutnant Davon hatte den Auftrag erhalten, mit seinem *Sword* in die Höhle von *Back Cup* einzudringen. Es sollte ein erster Erkundungsvorstoß sein – doch bald mußten die englischen Marinebehörden einsehen, daß er gescheitert war: Das Unterseeboot mit seiner tapferen Besatzung kam nicht zurück. War es beim Aufsuchen des Tunnels an Unterwasserklippen zerschellt? Oder von Ker Karrajes Piraten vernichtet worden? Niemand wußte es.

Das Ziel jener Expedition war die Entführung Thomas Rochs gewesen. Nachdem man am Strand von Saint-Georges das Fäßchen gefunden hatte, wollte man den Erfinder unbedingt in Freiheit wissen, bevor seine Raketen einsatzbereit waren.

Glückte dieses Unternehmen, so sollten Thomas Roch und der Ingenieur Simon Hart zunächst den bermudischen Behörden übergeben werden. Und beim Anlaufen von *Back Cup* hätte man den Fulgurator Roch ja nicht mehr zu fürchten.

Als aber einige Tage verstrichen waren und der *Sword* nicht mehr zurückkam, mußte man ihn als verloren aufgeben. Und die Marinebehörden beschlossen, eine zweite Expedition unter besseren Einsatzbedingungen zu starten.

Vor allem durfte man nicht vergessen, daß seit dem Auffinden der Flaschenpost Simon Harts acht Wochen vergangen waren. Hatte Thomas Roch inzwischen Ker Karraje vielleicht auch den Deflagrator ausgeliefert? Die Möglichkeit mußte man zumindest einkalkulieren!

Die Seemächte kamen überein, fünf Kriegsschiffe nach den Bermudas zu entsenden. Man wußte, das Innere des Felsstocks von *Back Cup* war eine einzige große Höhle – und so entschied man sich für den Versuch, die umgebenden Felswände wie die Mauern einer Bastion durch Trommelfeuer schwerster moderner Schiffsartillerie niederzulegen.

Das betreffende Geschwader wurde in der Chesapeakebucht vor Virginia zusammengestellt und fuhr dann zu dem Archipel, wo es am 17. November eintraf.

Am nächsten Morgen steuerte das für den ersten Angriff bestimmte Schiff auf die Insel zu. Es war noch viereinhalb Seemeilen von der Küste entfernt, als drei seltsame Flugkörper erst darüber hinwegschwirrten, dann in einem Kreisbogen umkehrten, es von hinten wieder einholten und etwa fünfzig Meter neben dem Kreuzer über der Wasseroberfläche explodierten. Das Schiff sank innerhalb weniger Sekunden.

Die Wirkung der Explosion war dem Luftdruck zuzuschreiben und vollzog sich spontan. Die umgebenden Luftschichten wurden auseinandergerissen und die ganze Atmosphäre in einem Maße aufgewühlt, wie man es von bisherigen Sprengstoffen nicht kannte. Die vier zurückgebliebenen Kriegsschiffe wurden trotz ihrer beträchtlichen Entfernung vom Schauplatz des Unglücks durch die Druckwelle leicht beschädigt.

Aus dieser plötzlichen Katastrophe ließen sich zweierlei Schlußfolgerungen ziehen:

Erstens: Der Pirat Ker Karraje verfügte über den Fulgurator Roch.

Zweitens: Diese Teufelsrakete erzielte tatsächlich die höllische Wirkung, die der Erfinder ihr zuschrieb.

Nach dem Verschwinden des Kreuzers, der den Angriff einleiten sollte, setzten die anderen Schiffe zunächst Boote aus, um vielleicht noch einzelne auf Trümmern treibende Schiffbrüchige retten zu können.

Gleichzeitig verständigten sie sich untereinander durch Signale über das weitere Vorgehen – und steuerten schließlich in Schlachtordnung auf *Back Cup* zu.

Das schnellste Schiff war der französische Kreuzer *Tonnant*. Er setzte sich unter Volldampf an die Spitze, während die andern alle Feuer schürten, um ihn einzuholen.

Der *Tonnant* drang eine halbe Seemeile in den Todesgürtel ein – ungeachtet der Gefahr, ebenfalls vernichtet zu werden. Während er beidrehte, um seine schweren Geschütze auszurichten und eine Breitseite abfeuern zu können, hißte er die Trikolore. Von der Brücke herunter konnten Offiziere die auf den Uferfelsen verstreute Bande Ker Karrajes erkennen.

Die Gelegenheit war günstig, das ganze Gesindel auszurotten, wenn es gelang, ihren Schlupfwinkel durch schweres Granatfeuer auseinanderzusprengen. Der *Tonnant* gab also seine ersten Salven ab – und sämtliche Piraten flohen sofort durch ihren Stollen ins Innere der Höhle.

Wenige Minuten später gab es eine Detonation von so unvorstellbarer Gewalt, daß man den Eindruck hatte, das Firmament würde in die Untiefen des Atlantik versinken.

Wo vorher die Insel gestanden, lag nur noch ein Haufen rauchender Felstrümmer, die wie das Geröll einer Steinlawine übereinanderstürzten. Statt der umgekehrten Tasse die zerbrochene Tasse! Anstelle von *Back Cup* ein Gewirr von Klippen, über die eine Springflut als unmittelbare Folge der Explosion peitschend hinwegschäumte.

Was aber war die Ursache jener Explosion gewesen? Hatten die Piraten im Bewußtsein der Aussichtslosigkeit ihrer Situation die eigene Insel in die Luft gejagt?

Der *Tonnant* war nur von einzelnen kleinen Felstrümmern getroffen worden. Sein Kommandant wartete ab, bis sich die See wieder einigermaßen beruhigt hatte. Dann setzte er Boote aus,

und diese ruderten auf das zu, was von *Back Cup* noch aus dem Wasser ragte.

Die Mannschaften gingen unter Führung ihrer Offiziere an Land und durchstöberten die Trümmer, die jetzt das letzte Glied der nach den Bermudas zu verlaufenden Kette von Klippen bildeten.

Man fand nur noch ein paar gräßlich verstümmelte Leichen, abgerissene Gliedmaßen, blutige Stücke von Menschenfleisch. Von der Höhle war nichts mehr zu sehen. Alles lag unter den Ruinen.

Ein einziger menschlicher Körper wurde unverletzt auf der nordöstlichen Landzunge gefunden. Dieser Mensch hatte schon aufgehört zu atmen. Trotzdem machte man Wiederbelebungsversuche und hatte Erfolg. Dieser Mann war auf der Seite gelegen. Seine Hand hatte ein Tagebuch umklammert, das mit einer unvollendeten Zeile abschloß.

Es war der französische Ingenieur Simon Hart – und man schaffte ihn an Bord des *Tonnant*. Bei aller Sorgfalt und Pflege dauerte es doch einige Zeit, bis er das Bewußtsein wiedererlangte.

Seine Aufzeichnungen, die von der Explosion der Höhle unterbrochen wurden, ermöglichten eine Rekonstruktion der Ereignisse bis zum Augenblick der Katastrophe.

Simon Hart blieb der einzige Überlebende von *Back Cup*. Alle andern fielen dem Untergang der Insel zum Opfer – und sie hatten es mehr als verdient!

Sobald er in der Lage war, Fragen zu beantworten, konnte man seinen Bericht ergänzend abschließen – so wie es etwa dem weiteren Ablauf der Dinge entsprochen haben mag:

Thomas Roch war vom Anblick der Trikolore ebenso ergriffen wie erschüttert von der plötzlichen Erkenntnis, daß er im Begriff war, Landesverrat zu begehen. Er rannte durch den Stollen in die Höhle zurück und dann zum Labor. Raffte seine Reagenzgläser zusammen, lief mit ihnen zu dem Schuppen, in dem der Fulgurator lagerte, und goß die ganze Zündflüssigkeit darüber. Ehe irgend jemand eingreifen konnte, hatte er die furchtbare Explosion ausgelöst und *Back Cup* eliminiert.

Damit sind Ker Karraje und seine Piratenbande vom Erdboden verschwunden – und mit ihm Thomas Roch und das Geheimnis seiner Erfindung.

Die Erfindung des Verderbens
Roman. Deutsch von Karl Wittlinger.
detebe 64/13

Die Leiden eines Chinesen in China
Roman. Deutsch von Erich Fivian.
detebe 64/14

Das Karpathenschloß
Roman. Deutsch von Hansjürgen Wille
und Barbara Klau. detebe 64/15

Die Gestrandeten
Roman in zwei Bänden. Deutsch
von Karl Wittlinger. detebe 64/16–17

Der ewige Adam
Geschichten. Deutsch von Erich Fivian.
detebe 64/18

Robur der Eroberer
Roman. Deutsch von Peter Laneus.
detebe 64/19

Als Sonderbände erschienen:

Zwei Jahre Ferien
Roman. Deutsch von Erika Gebühr

Die großen Seefahrer und Entdecker
Eine Geschichte der Entdeckung und Erforschung der Erde
im 18. und 19. Jahrhundert. Mit zahlreichen Stichen
und Karten. Deutsch von Claudia Schmölders

Das erstaunliche Abenteuer der ›Expedition Barsac‹
Roman aus dem Nachlaß. Deutsche Erstausgabe.
Übersetzung von Eva Rechel-Mertens